QUAL É O CORPO QUE DANÇA?

Dados Internacionais de Catalogação na Publicação (CIP)
(Câmara Brasileira do Livro, SP, Brasil)

Miller, Jussara
   Qual é o corpo que dança? : dança e educação somática para adultos e crianças / Jussara Miller. – São Paulo : Summus, 2012.

   Bibliografia
   ISBN 978-85-323-0267-0

   1. Escola Vianna 2. Coreografia 3. Criação artística 4. Dança 5. Expressão corporal 6. Técnica Klaus Vianna I. Título.

12-07246   CDD-792.801

Índice para catálogo sistemático:
1. Dança e educação somática : Artes 792.801

www.summus.com.br

Compre em lugar de fotocopiar.
Cada real que você dá por um livro recompensa seus autores
e os convida a produzir mais sobre o tema;
incentiva seus editores a encomendar, traduzir e publicar
outras obras sobre o assunto;
e paga aos livreiros por estocar e levar até você livros
para a sua informação e o seu entretenimento.
Cada real que você dá pela fotocópia não autorizada de um livro
financia o crime
e ajuda a matar a produção intelectual de seu país.

QUAL É O CORPO QUE DANÇA?

DANÇA E EDUCAÇÃO SOMÁTICA PARA ADULTOS E CRIANÇAS

Jussara Miller

summus editorial

QUAL É O CORPO QUE DANÇA?
Dança e educação somática para adultos e crianças
Copyright © 2012 by Jussara Miller
Direitos desta edição reservados por Summus Editorial

Editora executiva: **Soraia Bini Cury**
Editora assistente: **Salete Del Guerra**
Capa: **Alberto Mateus**
Foto da capa: **Juliana Schiel**
Foto da autora (orelha): **Christian Laszlo**
Projeto gráfico e diagramação: **Crayon Editorial**

2ª reimpressão, 2022

Summus Editorial
Departamento editorial
Rua Itapicuru, 613 – 7º andar
05006-000 – São Paulo – SP
Fone: (11) 3872-3322
http://www.summus.com.br
e-mail: summus@summus.com.br

Atendimento ao consumidor
Summus Editorial
Fone: (11) 3865-9890

Vendas por atacado
Fone: (11) 3873-8638
e-mail: vendas@summus.com.br

Impresso no Brasil

Às minhas filhas, Cora e Elis,
por incentivarem a minha dança
com as suas próprias danças.

SUMÁRIO

Prefácio	*9*
Introdução	*11*

Capítulo 1 Escola Vianna: influências e confluências — *15*
A técnica como processo de investigação — *26*
O corpo na cena contemporânea — *29*

Capítulo 2 A técnica Klauss Vianna
para a construção de um corpo cênico — *43*
O corpo presente — *49*
Técnica e criação — *52*
Dança e educação somática — *69*

Capítulo 3 A técnica Klauss Vianna para crianças — *81*

Capítulo 4 Estado de dança — *117*
Os sentidos na dança: o movimento
como vetor de emoções — *118*
Uma pesquisa *em* arte — *125*
A labilidade da coreografia — *131*
Clariarce: um processo de criação — *142*

Considerações finais — *147*
Apêndice: depoimentos — *151*
Referências bibliográficas — *163*

PREFÁCIO

Dançar é um registro de vida, de força, expressão, empenho, vontade e paixão que aprofunda cada vez mais os conhecimentos corporais. Observando com atenção o andamento e as modificações na estrutura óssea, no equilíbrio, no tônus muscular, nos micro e macromovimentos das articulações, aguçamos a percepção de nós mesmos. A verdade não escapa no nível do gesto.

A atenção à importância da pele, da projeção dos ossos, do estado de tonicidade adequado nos ajuda a nos tornar indivíduos mais integrados. Dançar possibilita maior prazer, deixando fluir elementos novos e criativos e auxiliando os movimentos a se expandir com projeção. Nossa história acaba por se inscrever no nosso corpo.

A prática corporal da família Vianna, em suas ações artísticas e pedagógicas, muito tem contribuído com pesquisadores corporais, professores e coreógrafos para o estudo dos corpos brasileiros. Definiu-se esse pensamento como "Escola Vianna".

Jussara Miller sempre me surpreendeu por sua precisão, harmonia e criatividade nos mínimos gestos, tanto em suas aulas como dançando. Cada aula ou coreografia dela a que estive presente me revelou sua vivência como aluna de Klauss e Rainer.

Todo trabalho de pesquisa de Jussara, que aponta a técnica como um processo de investigação, revela os princípios fundamentais da Escola Vianna na educação somática e na arte, assim como sua marca pessoal como educadora e criadora.

• Angel Vianna

INTRODUÇÃO

Este livro é movido por diversas questões que me acompanham no decorrer do meu percurso investigativo como bailarina, professora e pesquisadora do movimento: qual é o corpo que dança? Qual é a prática corporal para a construção de um corpo cênico? Qual é o diálogo existente entre o corpo e todos os outros elementos que compõem a cena espetacular?

A presente obra focaliza a pesquisa de técnica de dança e de educação somática para o corpo que dança na cena contemporânea por meio da técnica Klauss Vianna, o que pode contribuir com reflexões que ampliem a discussão em torno do corpo cênico na tênue fronteira entre dança, teatro e *performance*. A prática Klauss Vianna, que vivenciei como aluna de Klauss e Rainer Vianna, norteia o meu trabalho didático e criativo há mais de duas décadas e serve como âncora dessa abordagem reflexiva.

O livro está dividido em quatro capítulos. No primeiro, enfatizo a "Escola Vianna", mostrando como uma "escola" pode dar origem a pesquisas e evidenciando a continuidade desse trabalho investigativo por meio de seus diferentes desdobramentos metodológicos que, no decorrer do tempo, vieram a ser elaborados por outros pesquisadores.

No segundo capítulo, a ênfase recai sobre a proposição de dança e de educação somática, abordando experiências práticas com o corpo do bailarino, com o corpo do ator e com o corpo do praticante da técnica Klauss Vianna que não tem enfoque cênico, mas o objetivo de vivenciar o corpo-presente e o corpo disponível para as atividades da vida diária. Analiso, a partir daí, tanto a fronteira entre dança e teatro quanto a prática corporal para a construção de um corpo cênico contemporâneo. O praticante que não tem enfoque artístico é considerado integrante de um trabalho grupal de sala de aula, no qual a vivência de um reverbera no outro como experiência de relações.

No terceiro capítulo, abordo os desdobramentos da técnica Klauss Vianna que resultaram em sua aplicação para o público infantil.

E, no quarto capítulo, explico a criação e a montagem solo em dança contemporânea com base em minha vivência como bailarina e coreógrafa, analisando o estado de dança e a qualidade de labilidade de uma estrutura coreográfica.

Os quatro capítulos partem de um mesmo tema — a prática corporal para a construção de um corpo cênico contemporâneo por meio do olhar da dança e da educação somática na prática Klauss Vianna. As reflexões apresentadas passam pela seguinte pergunta: *qual é o corpo que dança?*

Minha atuação como bailarina e docente de dança e educação somática é o eixo central do desenvolvimento da discussão aqui presente. As linhas que se cruzam no meu trabalho, a educacional e a artística, alimentam-se mutuamente.

Além de agir em processos criativos como bailarina, coreógrafa, diretora e provocadora, sou professora no *Salão do Movimento,* espaço de dança e educação somática que inaugurei em 2001, em Campinas (SP), e proporciona atividades cujo foco está na reflexão do corpo e no estudo do movimento consciente com base na prática da técnica Klauss Vianna. Nesse espaço de ensino, pesquisa e criação, ministro aulas para estudantes e profissionais de diferentes áreas — educação, saúde, artes cênicas em geral — e para todos aqueles que querem conhecer o próprio corpo e lidar com ele pautando-se na investigação do movimento consciente. O curso promove autonomia corporal para que o indivíduo pesquise e aplique os elementos da técnica no seu contexto de interesse e atuação.

QUAL É O CORPO QUE DANÇA?

Qual é o corpo que dança? O do bailarino, o do ator, o do indivíduo que se entrega para dançar e se sentir bem? Vale ressaltar que a ideia de corpo que utilizo neste livro remete ao *soma*, ou seja, ao *ser* corporal humano na sua integridade. Não o corpo cartesiano mecanicista, mas, ao contrário, o corpo holístico vestido pelas vivências e pelos saberes do século XXI.

> "Soma" não quer dizer "corpo"; significa "Eu, o ser corporal". [...] O soma é vivo; ele está sempre se contraindo e distendendo-se, acomodando-se e assimilando, recebendo energia e expelindo energia. Soma é a pulsação, fluência, síntese e relaxamento — alternando com o medo e a raiva, a fome e a sensualidade. (Hanna, 1972, p. 28)

O pesquisador estadunidense Thomas Hanna é um dos pioneiros da educação somática e quem definiu esse termo pela primeira vez, em 1983, num artigo publicado na revista *Somatics*.

A educação somática consiste em técnicas corporais nas quais o praticante tem uma relação ativa e consciente com o próprio corpo no processo de investigação somática e faz um trabalho perceptivo que o direciona para a autorregulação em seus aspectos físico, psíquico e emocional.

O trabalho que apresento aqui é fruto do meu olhar de pesquisadora-docente livre para criar e atuar pedagogicamente dentro da comunidade de pesquisadores das artes corporais, pois, para viver nesse território, todo dia eu digo "sim" à dança, com um percurso que vou construindo pé ante pé, no chão de madeira da sala de aula e do palco, onde me proponho a realizar a pesquisa da qual este livro é resultado.

1 | Escola Vianna: influências e confluências

Nada como um pé depois do outro.
MÁRIO QUINTANA

Nas reflexões aqui desenvolvidas, adoto o termo "escola" como origem e fonte de pesquisas que dela se ramificaram por meio de influências e confluências entre as singularidades da investigação de cada artista pesquisador. Nesse sentido, analiso os desdobramentos da técnica Klauss Vianna à luz das ideias do filósofo italiano Luigi Pareyson (1918-1991), cujo pensamento sobre a arte abrange uma gama bastante diversificada de problemas e toca em questões fundamentais referentes à reflexão artística, como a reverberação das atuações de uma determinada linhagem de artistas nas gerações seguintes como conteúdo inerente e inevitável de ações herdadas e assimiladas.

Sob esse prisma, tomo a liberdade de transpor essas ideias para um pensamento artístico-pedagógico, considerando que, além da atuação artística de Klauss e Angel Vianna, o casal teve uma contribuição pedagógica na dança e no pensamento do corpo das artes cênicas em geral, provocando outra relação entre professor e aluno em sala de aula, na maioria das vezes com aspectos inovadores.

Entre as diversas inovações propostas por eles, podemos citar: a postura do professor como orientador e facilitador de um processo, e não como modelo a ser copiado; o desuso de sapatilhas para trabalhar melhor os espaços articulares e os apoios dos pés dos bailarinos; o trabalho técnico corporal com enfoque somático, resultando na percepção e na consciência do movimento; o trabalho centrado no indivíduo, com suas percepções, relações e seu autoconhecimento; o desapego do espelho como referência, tão habitual em sala de aula de dança até os dias de hoje; a busca da dança e da expressividade de cada um; a relação de pesquisa de movimento, inclusive na vida cotidiana, entre outras inovações.

Com base na ideia de que toda pesquisa ou todo pensamento artístico-pedagógico tem um (ou mais) pesquisador de origem — ou seja, alguém que provoca aquela maneira de olhar e atuar no campo da pesquisa em questão —, poderíamos dizer que o casal Vianna originou a pesquisa da técnica Klauss Vianna, sobre a qual se discorre no presente trabalho. Apresentamos aqui um olhar para uma pesquisa brasileira que deseja oferecer instrumentos históricos para que as próximas gerações propiciem mobilidade investigativa às suas ações, deixando portas abertas para que os pesquisadores do futuro vivenciem, fruam e investiguem de maneira crítica e reflexiva partindo da fonte originária da pesquisa Vianna.

Em relação à escola Vianna, também me incluo nas gerações seguintes, pois, além de ter sido aluna de Klauss, fui aluna de Rainer Vianna, que faz parte de uma geração anterior à minha e, por sua vez, foi formado por seus pais, Klauss e Angel. Essas influências e confluências foram dando continuidade à pesquisa iniciada pelos Vianna, numa postura de contribuição e aplicação de princípios colocados em ação com a liberdade de exercer o trabalho de *origem* com a *originalidade* inerente a cada pesquisador.

A continuidade é tratada aqui não como imitação repetitiva, reprodutiva e alienante, mas como ação criadora e inovadora fundamentada na fonte e na origem da pesquisa Vianna, preservando um território habitado por diversos olhares de conservação e inovação. Para Pareyson (1997, p. 137), esses dois âmbitos, conservação e inovação, são parte de um mesmo processo que abarca a complexidade do conceito de tradição: "As duas funções, do inovar e do conservar, só podem ser exercidas conjuntamente, já que continuar sem inovar significa apenas copiar e repetir, e inovar sem continuar significa fantasiar no vazio, sem fundamento".

Pensar em pesquisa como processo de busca já implica movimento e continuidade, ou seja, uma possibilidade de ação que seja nova e original e, ao mesmo tempo, se ancore na continuação de alguns princípios precedentes. A tradição, desse ponto de vista, não é estanque e cristalizadora, mas referência de um território sempre em renovação. As perguntas não são respondidas como regras, mas reatualizadas como necessidade de pesquisa em continuidade.

O aspecto didático inerente à minha pesquisa permitiu-me concretizar, de modo objetivo, a minha metodologia na técnica Klauss Vianna. Pude testar sua validade, atestada na aplicação com alunos que são estudantes e profissionais das artes cênicas em geral — tanto no ambiente do curso superior de Dança e Artes Cênicas da Unicamp, onde ministrei aulas, quanto no ambiente de cursos regulares no Salão do Movimento, onde trabalho diariamente —, bem como em cursos livres pontuais em outros espaços, grupos e instituições em que realizo oficinas. Essa proposta metodológica vem se delineando em 20 anos de atuação como professora.

Além disso, são significativos os resultados obtidos por diversos alunos que, contaminados pela vivência da técnica Klauss Vianna em minhas aulas, utilizaram-na como mote de pesquisa ou como referência de análise investigativa. Isso culminou em diversos trabalhos cênicos e acadêmicos nas áreas da dança, do teatro, da música, da educação física, da educação e da medicina.[1]

Isso demonstra não só os resultados, mas também os ecos de minha atuação didática como provocações para que outros pesquisadores embasem suas investigações, partindo do corpo vivenciado na técnica Klauss Vianna, por meio de minha abordagem metodológica. São reverberações que atingem diversas áreas e trazem variados olhares, vozes, reflexões e ações.

Esse olhar retrospectivo aponta também para os desdobramentos provocados pelo meu livro *A escuta do corpo: sistematização da técnica Klauss Vianna* (Summus, 2007), pois sua publicação viabilizou um diálogo com diversos leitores-pesquisadores que não tiveram acesso às minhas aulas, mas utilizaram o conteúdo ali abordado como referência. Esses desdobramentos são importantes não só pela potência avaliativa, mas como constatação das influências e confluências em *continuum* desse trabalho, em suas diferentes manifestações, com as singularidades específicas de cada área e de cada pesquisador.

---

1. Entre os trabalhos de iniciação científica, mestrado, doutorado e pós-doutorado que versam sobre o tema posso citar os seguintes: Amaral, 2009; Andreatta, 2010; Barros, 2006 e 2012; Bittar, 2012; Freire, 2008; Massotti, 2012; Oliveira, 2009 e 2010; Oliveira e Razera, 2009; Pinto, 2008 e 2012; Razera, 2009 e 2010; Schiel, 2010, entre outros.

Quanto mais atuo nessa pesquisa prático-teórica, mais o meu trabalho evidencia-se como uma abordagem específica da técnica Klauss Vianna. As particularidades de meus passos como bailarina, pesquisadora e professora dessa técnica são notadas pelos próprios alunos — que conhecem e vivenciam os princípios dos Vianna sem nunca tê-los conhecido nem mesmo vivenciado as suas aulas. Diante desses fatos, abre-se espaço para compreender a relevância da relação entre origem e originalidade de uma pesquisa e o entendimento de escola como rede de relações.

Segundo Pareyson (1997, p. 143)

> A escola é como uma família, onde a novidade e a irrepetibilidade do indivíduo não estão comprometidas, mas fundadas pela comum geração e pela linha descendente da reprodução, onde a singularidade não nega a comunidade, mas nutre-se dela, e a semelhança não suprime, mas realiza, a originalidade.

Posicionar-me como profissional e professora da "técnica Klauss Vianna" já diferencia e caracteriza o meu caminho pessoal nessa pesquisa, pois usar essa denominação, cunhada por Rainer Vianna, revela que a minha prática didática foi orientada por ele durante a atuação como professora da Escola Klauss Vianna, além da minha vivência anterior como aluna de Klauss. Os pesquisadores que passaram somente por este último e não tiveram acesso aos estudos didáticos elaborados, sistematizados e direcionados por Rainer muitas vezes não se referem à técnica Klauss Vianna para nomear suas metodologias, usando cada qual o termo que designa suas escolhas pessoais de atuação e trabalho.

Por essas razões discorro aqui sobre origem e originalidade, considerando a escola Vianna como uma família, ou melhor, considerando que os princípios dos Vianna são a fonte de minha pesquisa vertical em dança e educação somática. Este livro tem justamente o objetivo de revelar como essa pesquisa se encontra no atual momento, analisando a metodologia própria e o resultado obtido com base em minha atuação didática como professora e pesquisadora dessa técnica.

O pensamento trabalhado afirma-se na teoria da formatividade de Pareyson (1997), em que o "fazer", enquanto se faz, inventa o "modo de fazer". O autor se refere à formação do artista, na relação entre mestre e discípulo, e enfatiza que a relação de formação entre o mestre e o aluno acontece não apenas por meio de uma assimilação teórica, mas principalmente a partir de um "fazer":

> O mestre não "ensina" ministrando noções teóricas ou princípios especulativos ou leis gerais ou explicações científicas, mas "fazendo fazer", e o aluno não "aprende" no sentido de acumular um patrimônio de cultura doutrinal, mas "fazendo" e operando. [...] em arte o mestre só é tal na medida em que ensina os alunos a fazer por si mesmos como ele mesmo vai fazendo, e que a única coisa que em arte se pode ministrar consiste em "provocar" nos aprendizes a exigência de fazer por si mesmos e ser fiéis à própria singularidade e originalidade. (Pareyson, 1993, p. 150)

Esse processo é reconhecível na escola Vianna, já que se trata de uma pesquisa que nasceu da prática corporal de um casal de bailarinos pesquisadores e foi sendo transmitida, na prática, a outros bailarinos pesquisadores, revelando a sua eficácia ao longo de décadas de aplicação. Ou seja, o saber foi sendo construído ao se fazer.

A relação entre mestre e aprendiz é bastante presente na formação em dança, principalmente na geração anterior à minha, porque não havia ainda no Brasil cursos superiores na área, com exceção da Faculdade de Dança de Salvador (UFBA), fundada em 1956. Sou da primeira turma do segundo curso de graduação em Dança do país, na Unicamp (1985), e na época se questionava a necessidade de se fazer faculdade, já que dança aprende-se dançando, ou seja, fazendo muitas aulas com o mestre escolhido.

Havia certo preconceito dos próprios artistas em relação ao ensino superior de artes, o que gerou uma discussão ainda presente nos dias de hoje. A grande maioria de meus professores, em meu percurso de dança, não teve formação acadêmica; foram fazendo aulas com mestres e seguindo o fluxo das influências e confluências na sua ação metodológica. Portanto, poderia ser natural, ainda nos dias de hoje, entendermos uma pesquisa como processo de investigação, já que as gerações anteriores à minha foram educadas de maneira que o ensino do mestre vá passando de geração para geração.

Quando falo de escola Vianna, uso esse termo procurando explicitá-lo como espírito de pesquisa em continuidade, ou seja, como um trabalho em constante processo. Os princípios artístico-pedagógicos dos Vianna prevalecem hoje, no século XXI, como fonte de um percurso que orienta e nutre sempre novas pesquisas e, dessa maneira, também se nutre como continuidade de estudo e investigação em diversos corpos pensantes e dançantes. Pareyson (1997, p. 143-4) reflete com clareza sobre o ensino de artes como relação não só entre mestre e discípulo, mas também entre toda a comunidade que participa e é cúmplice desse modo de fazer:

> O que é uma escola senão o conjunto das pessoas que dela fazem parte e nas quais apenas ela age e vive? [...] formar-se através do acolhimento e do prolongamento da lição alheia e diferenciar-se do mestre e dos companheiros precisamente no ato de continuar o primeiro e de assemelhar-se aos segundos.

O aluno diferencia-se do mestre não para negá-lo ou para deixá-lo intocável em seus conhecimentos próprios, mas sim para dar-lhe continuidade, em conjunto com o trabalho dos outros alunos e companheiros. Transferindo esse olhar para a escola Vianna, podemos concluir que o trabalho só tem a crescer e fortalecer quanto mais o diálogo estiver vivo e ativo entre os pesquisadores atuantes dessa escola. Angel afirma: "Cada um é um, porque a pesquisa é individual. Eu faço questão de estimular o aluno como indivíduo, mas digo: 'Trabalha na comunidade, trabalha nessa comunidade que é a escola, trabalha comigo que eu posso orientar'. O trabalho não é solto no espaço".[2]

Os desdobramentos da escola Vianna ficam evidentes quando vemos cada vez mais estudantes pesquisadores do corpo falando de seus princípios ou aplicando-os sem ter ao menos feito uma única aula com Klauss, Angel ou Rainer Vianna. São estudantes que bebem do conteúdo de professores-pesquisadores que, por sua vez, beberam da fonte originária da pesquisa Vianna. Quando digo família Vianna, remeto-me à origem da pesquisa, incluindo ainda a originalidade metodológica de cada um: de Klauss, de Angel e de Rainer.

Há um entrelaçamento entre originalidade e continuidade que evidencia como elas se sustentam mutuamente. Pareyson (1997, p. 139) explica: "É a *originalidade na continuidade* e *a con-*

---

2. Entrevista concedida à autora na cidade do Rio de Janeiro em 12 de dezembro de 2009.

tinuidade na originalidade [...] analisando bem os dois termos, a originalidade e a continuidade são tais que somente podem explicar-se *junto*".

O caminho se faz ao caminhar.
ANTÔNIO MACHADO

É um desafio falar da origem desse trabalho, mesmo porque participo de um recorte pontual deste. Afinal, em um percurso de mais de 40 anos como o da pesquisa Vianna, é natural que a vivência de cada pesquisador e sua atuação profissional acabem sendo um recorte do todo a ser investigado. O que deve prevalecer na pesquisa é o cuidado com cada um desses recortes, ou seja, com cada fase registrada por corpos dignos de memórias vividas cada qual em sua época e que conservam a sua individualidade.

No ano de 2002, realizei o "Ciclo Klauss Vianna" em homenagem a Klauss Vianna, pontuando os dez anos de sua morte. O evento foi realizado em Campinas (SP) e contou com a presença de Angel Vianna e de diversos profissionais que trabalharam com Klauss e Rainer. Foram realizados *workshops*, espetáculos e mesas temáticas. Naquele momento, dados os depoimentos de cada artista, ficou evidente a diversidade de atuação de cada profissional que foi contaminado por princípios comuns.

Um segundo evento que também tive a oportunidade de organizar foi o Festival CPFL de Dança Contemporânea "Klauss Vianna 2005". Realizado em Campinas (SP) em homenagem a Rainer Vianna, celebrando os dez anos de sua morte, também teve o mesmo caráter de reunir os profissionais que trabalharam com os Vianna. Esse segundo evento já estava mais livre do tom saudosista inerente ao primeiro, podendo revelar com maior clareza a origem da pesquisa Vianna e a originalidade emergente do trabalho de cada pesquisador convidado, com suas respectivas interpretações da pesquisa Vianna.

Em 2008, Angel Vianna realizou, na cidade do Rio de Janeiro, o IV Encontro do Corpo na Dança e no Teatro — Técnica Klauss Vianna, que também revelou a fertilidade desse campo e uma série de ramificações que vão surgindo ano a ano, passo a passo. Citei como exemplo esses eventos porque foram momentos oportunos dos próprios pesquisadores de se ver e se ouvir. Neles prevaleceram as atualizações de uma pesquisa contemporânea em movimento em que as influências e confluências ficam naturalmente evidentes.

Para escrever sobre escola Vianna seria necessário recorrer não só à memória, sabendo que toda memória é parcial, mas também aos registros dos trabalhos que se apresentam de forma artística, pedagógica e acadêmica. A diversidade é inevitável, principalmente porque a memória sempre põe em ação dois movimentos: o de esquecer e o de lembrar. Privilegio aqui o movimento de lembrar, pois é preciso lembrar para fazer existir, a fim de sustentar com originalidade o que se foi um dia em sua origem. Como diz o neurocientista Iván Izquierdo (2004, p. 16), "cada um é quem é porque tem suas próprias memórias (ou fragmentos de memórias)".

Há os que se reconhecem seguidores da "técnica Klauss Vianna" e seguem os princípios dos Vianna por meio de sua própria originalidade metodológica. Há também os que se reconhecem influenciados e contaminados pelos Vianna, uma vez que tiveram a carreira marcada por seus ensinamentos, mas na prática seguem outro caminho ou até procuram formação em outra técnica específica — geralmente outras abordagens somáticas, como eutonia, BMC (Body-Mind-Centering), pilates, Feldenkrais etc. Alguns buscam um direcionamento específico para o teatro, já que Klauss e Rainer tiveram uma atuação ampla entre atores e diretores teatrais. Angel Vianna atua diariamente no Rio de Janeiro (RJ), com a sua Escola e Faculdade Angel Vianna, ação que reverbera tanto nas artes cênicas em geral quanto na saúde e na educação.

A TÉCNICA COMO PROCESSO DE INVESTIGAÇÃO

Pensando técnica como caminho de uma escola e como processo de investigação, e não apenas como o resultado almejado de habilidades, é possível perceber que técnica tem movimento e não se fecha em si, tal como esclarece Klauss Vianna (2005, p. 82):

> Não podemos aceitar técnicas prontas, porque na verdade as técnicas de dança nunca estão prontas: têm uma forma, mas no seu interior há espaço para o movimento único, para as contribuições individuais que mudam com o tempo. Essas técnicas continuarão existindo enquanto existir a dança, enquanto existirem bailarinos. Taglioni e Pavlova não reconheceriam o balé clássico que se dança hoje em dia — que, na essência, é o mesmo balé clássico de outros tempos. O balé clássico não é dessa ou daquela forma: ele está em movimento e continuará existindo enquanto fizer parte do mundo em que vivemos. A evolução está em todo lugar e a dança não escapa dessa lei.

Klauss Vianna deixou claro que seu pensamento de técnica não é sinônimo de aquisição acumulativa de habilidades corporais. Portanto, quando falamos de técnica Klauss Vianna, compreende-se o processo de investigação que provoca e proporciona, por meio de procedimentos específicos, um caminho de construção de um corpo cênico, e que esses procedimentos não se apresentam de forma cristalizada e estanque; ao contrário, são estratégias propulsoras de processos corporais transformadores que disponibilizam um corpo que dança.

Logo, o pensamento de técnica deve ser reatualizado para que nos entendamos continuamente, pois, sobretudo no território da dança, quando se fala em técnica, ela ainda pode ser vista como treinamento físico mecanicista, dependendo da experiência e da abrangência de olhar do bailarino. Entretanto a técnica é capaz de ser percebida por outro prisma: "Acreditamos que técnica é algo vivo, flexível, que, sem perder seu fio condutor e sua linha, em nenhum instante nos lembra autoritarismo e obrigatoriedade. A técnica, como o corpo, respira e se move. [...] A técnica é um 'meio', e não um 'fim'" (Vianna *apud* Miller, 2007, p. 52).

O pensamento de técnica exposto por Klauss Vianna é coerente em termos teóricos. Porém, é comum estudantes e profissionais de dança a relacionarem, ainda, à prática exaustiva e repetitiva de conquistar movimentos cada vez mais virtuosos. Dessa maneira, eles podem esbarrar numa incongruência: criticam em discursos verbais o termo "técnica", indicando-o como algo fechado ou que se reduz a uma fórmula a ser repetida e, de forma contraditória, na prática valorizam a mesma "técnica" formal necessária à dança séria como o único caminho para alcançar organização, metas e resultados.

No século XXI, faz-se cada vez mais urgente compreender a técnica como um conjunto de vários procedimentos de investigação e aplicação de um conteúdo. Não se trata de apontar o que é melhor ou pior, certo ou errado — ou qualquer outra dicotomia —, mas de eleger, de modo consciente, processos de atuação e transformação para a construção de um corpo cênico que não reduz a pessoa a um instrumento a ser lapidado. Ao contrário, remete-a ao *soma*, ao *eu* indivíduo que trabalha com a autonomia de um pesquisador em prontidão.

Vejo a técnica como processo e caminho de investigação, pois, como estudante, vivi na pele, durante anos, certa contradição. Afinal, eu tinha aulas de técnicas variadas na graduação de

Dança da Unicamp e, ao mesmo tempo, os cursos livres regulares de Klauss e Rainer Vianna em São Paulo. Muitas vezes, em sala de aula, surgia um conflito de informações antagônicas de abordagem corporal/linhas diferentes no momento de desenvolver determinados movimentos, nomenclaturas, metodologias etc. Fui solucionando os conflitos com o estudo de caminhos e estratégias para trabalhar sem me anular, isto é, trazendo para a sala de aula o meu olhar de estudante/pesquisadora, com soluções de movimentos e de posturas que estruturam um pensamento na dança, e não apenas um treino de dança.

É certo que todo treinamento tem consequências no corpo. Um corpo treinado com horas diárias de clássico será diferente de um corpo com treino de técnicas circenses, que, por sua vez, será diferente do treino de técnicas de moderno etc. Contudo, se a própria técnica já se apresenta como processo de investigação na sua construção didática, como o faz a técnica Klauss Vianna, o indivíduo já se disponibiliza de forma distinta em outras aulas, e a sua aplicação será direcionada à pesquisa corporal em questão.

Essa outra abordagem de aplicação técnica em geral pode ser confundida como uma preparação somente, ou como facilitação para fazer e potencializar outras técnicas. Creio que isso acaba por hierarquizar as técnicas, já que se uma delas serve à outra cria-se uma relação servil, como se determinada técnica fosse exclusivamente uma preparação corporal para, em outro momento, se lidar com a técnica de dança em questão (por exemplo, trabalhar com a técnica Klauss Vianna a fim de executar melhor os movimentos da aula de clássico, de contemporâneo etc.).

Trata-se da mesma relação apresentada entre dança e educação somática, em que a prática somática pode melhorar o desempenho do bailarino etc. Mas a técnica Klauss Vianna mostra-se um caminho técnico para disponibilizar o corpo que dança, e não só uma preparação para fazê-lo.

Não se trata de negar que essa ou qualquer técnica somática vá facilitar (e muito) o desempenho de movimento do bailarino, mas de afirmar que ela consiste em uma técnica de dança que inclui o indivíduo e aborda a dança de maneira mais aberta, culminando, assim, numa técnica de dança com enfoque somático que disponibiliza o corpo para a cena contemporânea em seus diversos caminhos e atravessamentos.

O CORPO NA CENA CONTEMPORÂNEA

Quando falamos de dança contemporânea, estamos falando de diversidade, pluralidade, instabilidade, transdisciplinaridade, ou seja, trata-se de uma dança que tem transitoriedade e se transforma com o tempo. Portanto, devemos vê-la por vários ângulos e enfoques.

Ao considerar a diversidade inerente à dança contemporânea, podemos abordá-la com variadas lentes: com enfoque esportivo, na qual os bailarinos se apresentam com físico treinado e rigor esportivo, tendo muitas vezes o próprio coreógrafo formação em Educação Física e desenvolvendo a criação cênica no território de superação de limites; com enfoque popular, em que as raízes das danças populares brasileiras motivam a criação da coreografia; com enfoque na improvisação, que privilegia a improvisação na cena; com enfoque teatral etc. Enfim, são infinitas as escolhas de atuação e criação na dança contemporânea.

É comum, diante de tal diversidade, que o treinamento diário de grupos de dança continue sendo o balé clássico. No entanto, nesse caso, a relação hierárquica estabelece-se de forma diferente, pois o clássico não se mostra como técnica servil que serve a outras, mas como o mais eficiente dos treinamentos para o bailarino agir em qualquer criação de dança contemporânea ou, com frequência, como a única opção de treinamento, pelo próprio histórico de vivência em dança do bailarino e/ou do coreógrafo. Afinal, foi o clássico que o formou tecnicamente e, portanto, pode confortá-lo na postura de "é isso que sei fazer, é isso que sei ensinar".

A questão aqui não é analisar a adequação ou não do balé clássico — que, a meu ver, se revela como uma técnica eficiente ao longo de décadas de aplicação — para a dança contemporânea. O questionamento está na atual desvinculação entre o trabalho técnico do bailarino e o seu trabalho criativo. Ou seja, questiono a ideia de que, quando o bailarino está trabalhando tecnicamente, ele possa se desligar de suas estratégias de criação e percepção, porque estaria somente treinando, e treinando, e treinando, para num segundo momento agir de modo criativo, como se buscasse de início um corpo técnico para, em seguida, dar uma resposta criativa.

A técnica Klauss Vianna propõe a ação criativa imbricada na ação técnica, ou melhor, o indivíduo em trabalho técnico está em ação investigativa de sua relação com o próprio corpo, com o corpo do outro e com o ambiente/espaço, com a sua percepção aguçada do momento presente para a criação de outro momento/movimento. Por isso podemos falar de um "corpo em relação", ou seja, da atenção do corpo em relação ao todo, ao outro, ao espaço, ao ambiente, numa rede de percepções.

Ao relacionar a técnica Klauss Vianna com as ideias dos neurocientistas Antonio Damásio e Gerald Edelman, a professora e pesquisadora Neide Neves (2008) concluiu que um trabalho corporal cujo objetivo consiste em um corpo disponível para o movimento deve incluir quatro fatores fundamentais: terreno (percepção), meios (sensação, movimento, imagem mental, conceito), tempo (atenção/presença) e espaço (ambiente).

Vejo um ponto diferencial na técnica Klauss Vianna, pois nela o trabalho com a percepção do corpo técnico afeta o corpo criativo. Logo, tais corpos/abordagens não se apresentam separadamente. Trata-se do indivíduo investigador em toda a sua potencialidade, o corpo em relação e o corpo em criação.

Durante essas duas décadas de pesquisa, foi possível constatar que os bailarinos que vêm de uma abordagem apenas clássica em sua formação podem ter certa dificuldade de ver a técnica Klauss Vianna como técnica, justamente pela separação entre técnica e criação que ocorre no território da dança tradicional. O percurso proposto pelos Vianna, às vezes, pode ser considerado livre e aberto demais — ou até uma improvisação, que não é reconhecida com o *status* de técnica de dança vislumbrado pela dança formal.

Esbarramos no subtexto de que, quando exploramos os princípios dos Vianna, estamos falando de outra coisa, talvez de expressão corporal ou de consciência corporal. Como a herança da dança formal está imantada no nosso corpo, algo que se contraponha a isso é capaz de parecer negação, e não dança. Assim, a visão de corpo permanece com uma abordagem dicotômica e mecanicista, ao contrário de uma abordagem plural, que considere as diversas técnicas e os vários caminhos a ser escolhidos e trilhados.

O trabalho dos Vianna corre o risco, ainda, de receber um olhar histórico localizado, ou seja, o bailarino que fez as aulas de Klauss na década de 1960, na Faculdade da Bahia, por exemplo, pode se fixar na imagem ou na impressão de uma verdade vivenciada apenas naquele momento e contexto; quem fez aulas na década de 1970, no Rio de Janeiro, pode se fixar em outra verdade; e quem vivenciou as aulas na década de 1980, em São Paulo, em outra, e assim por diante, no seu longo percurso de atuação.[3] Faz-se necessário, portanto, não fixar o trabalho nos recortes específicos de cada época, mas entendê-lo como processo em que as influências e confluências geram contribuições e delineiam o próprio percurso de uma pesquisa em movimento e em contínua reflexão crítica.

Com a morte de Klauss e de Rainer, na primeira metade da década de 1990, podemos ver a pesquisa individual de seus alunos, sem a presença dos mestres, e notar seus diversos desdobramentos. Angel Vianna estimula essa atualização e permanece presente para acolher tanto os pesquisadores do estado do Rio de Janeiro, onde atua mais diretamente com a sua escola e faculdade, quanto os do estado de São Paulo e de outros, sempre generosa e receptiva ao fortalecimento e reconhecimento da pesquisa em torno da escola Vianna. Angel afirma:

> Existem desdobramentos porque existem relações. Se você me conheceu, conheceu o Klauss, o Rainer, o seu aluno conheceu você, há uma sintonia de encontros, energeticamente falando. Em primeiro lugar a gente se encontra, gosta daquela abordagem de trabalho e depois os desdobramentos acontecem em consequência.[4]

---

3. Para saber mais sobre as diferentes fases e obras de Klauss Vianna, veja seu livro *A dança* (Summus, 2005) e o acervo presente no site www.klauuvianna.art.br.
4. Entrevista concedida à autora na cidade do Rio de Janeiro em 12 de dezembro de 2009.

Diante dos eventos em homenagem a Klauss Vianna e das inúmeras pesquisas cênicas e acadêmicas desenvolvidas em diversas universidades e localidades sobre o tema, testemunhamos a contribuição direta e espontânea de Angel, sempre esclarecendo a verdade do momento presente como fonte de pesquisa, mais do que como uma verdade que exclui as demais interpretações e formulações. Entendo que coexistem a verdade e uma multiplicidade de ações que não ignora a vivência de cada pesquisador, mas reconhece os momentos da pesquisa em movimento, principalmente no histórico tão abrangente dos múltiplos Vianna.

> A verdade é única, mas a sua formulação é sempre multíplice, e entre a unicidade da verdade e a multiplicidade das suas formulações não há contradição, porque, em virtude da interpretação, sempre *ao mesmo tempo histórica* e reveladora, a unicidade da verdade se faz valer *somente no interior* das formulações históricas e singulares que dela se dão, e é precisamente a interpretação que mantém a verdade como única no próprio ato que multiplica sem fim as suas formulações. A interpretação não é, não pode, não deve ser única. Por definição, ela é múltipla. (Pareyson, 2005, p. 60-1)

Esse pensamento legitima a interpretação não como algo meramente pessoal e definitivo, mas como uma singularidade necessária que nasce da multiplicidade das formulações diversas. Podemos considerar as pesquisas como uma rede de interpretações que reaviva e alimenta a escola Vianna. Portanto, a diversidade dos trabalhos atuais não elimina um traço básico do ideário original. Assim, nas técnicas variadas de dança, podemos ver as suas diferentes abordagens e interpretações, mas isso não significa que elas sejam arbitrárias e indiferentes aos princípios da técnica de origem.

No processo de escrita do livro anterior, deparei com um conflito: como apresentar a sistematização da técnica Klauss Vianna se o próprio Rainer, responsável por ela em parceria com Neide Neves, não o fez? O material que ele entregou a nós, docentes da Escola Klauss Vianna, em formato de minia-postila didática, com exemplificação dos oito vetores de força e dos diversos temas corporais estudados na técnica Klauss Vianna, não passava de seis páginas escritas. Como poderia eu, com base em um escasso material escrito, discorrer sobre uma sistematização tão ampla e complexa? Ancorar-me-ia, sem dúvida, no material vivenciado na pele, e foi o que fiz; portanto, a minha interpretação foi inevitável e, por mais que a fidelidade ao trabalho de origem estivesse em primeiro plano, não me excluí como pesquisadora da técnica. Ao contrário, falei e me expressei com uma propriedade inerente à fruição, o que pode se caracterizar como uma colaboração à própria sistematização, já que no processo de registrar o que não tem registro não se exclui um olhar sistemático próprio.

A reflexão didática do corpo docente da Escola Klauss Vianna era intensa na práxis, por meio de conversas, debates e estudos aplicados às experiências em sala de aula que tiveram que ser traduzidas, organizadas e sistematizadas (ou interpreta-das) por mim, em alguns de seus aspectos, para passarem do caráter vivenciado do corpo e receberem o formato dissertati-vo do texto. Esse conflito, que transformei em desafio, recebeu o acolhimento de Neide Neves e Angel Vianna — até mesmo de outros pesquisadores da técnica Klauss Vianna — para que a pesquisa fosse respeitada em todos os seus aspectos, inclusive no posicionamento e no aprofundamento como técnica. Tenho claro que a iniciativa de sistematizar, no formato de livro, um pensamento processual cinestésico corre o risco de não atingir um entendimento plausível.

Quando falamos de técnica com estudantes de artes cênicas em geral, deparamos com a busca da "melhor" técnica, já que eles estão na fase de conhecer e buscar a "melhor". A professora e artista da dança Márcia Strazzacappa (2004, p. 68) compartilha algumas reflexões em seu artigo sobre a frequente pergunta dos estudantes de artes cênicas, atores e bailarinos: "Qual a melhor técnica corporal para o trabalho do artista cênico brasileiro hoje?"

> Os alunos, quando levantam esta questão, trazem à tona uma expectativa e uma crença. A expectativa de que cabe ao professor (e não a eles próprios) avaliar o corpo de cada um e sugerir, em face de suas características de movimento, suas dificuldades e habilidades, seus ideais, qual a técnica para a qual devem se dedicar ao longo de sua formação. A crença de que existe uma técnica única e milagrosa, isto é, que sirva para todos os corpos a todo momento.
>
> A resposta a essa indagação costuma ser direta. Afirmamos e reafirmamos continuamente que não podemos falar em técnica no singular, logo não existe a melhor técnica. Devemos sempre nos referir a técnicas no *plural*.

O caminho de uma pesquisa pode passar, muitas vezes, por diversas escolas ou por diversos mestres, que acabam direcionando o pesquisador a portas que abrem outras portas e levam a outros mestres na longa trilha de crescimento, formação e profissionalização em Artes. As escolhas direcionam o percurso e revelam a procedência dos passos dados pelo indivíduo pesquisador, que constrói sua originalidade de atuação com base na pesquisa que o alavancou para o momento atual de ação metodológica.

O bailarino francês Dominique Dupuy relata que "o mestre herda do discípulo que ele não necessariamente escolheu. São os discípulos que fazem o mestre, que o fazem nascer, poderíamos dizer. Herança de duplo sentido" (Dupuy *apud* Strazzacappa, 2006, p. 31).

> Quanto à herança, no entanto, deixa claro que não se trata de uma filiação. A assinatura não vem junto; ela apenas indica a procedência. Não sendo filiação, podemos ter muitos pais e muitas mães. Podemos ser filhos do mundo. Podemos ter a liberdade de procurar outras fontes, outros mestres; a liberdade de beber de outras fontes [...] *O mestre é único em sua genialidade.* É único naquilo que tem a dizer, na transmissão de sua experiência, na revelação de sua descoberta, no compartilhar de sua pesquisa. O que ele tem a dizer e sua maneira de dizer são únicos. Porém, não podemos confundir particularidade com exclusividade. *O mestre pode ser único em sua particularidade, mas não único como exclusividade.* (Strazzacappa, 2006, p. 31).

A herança de duplo sentido revela a importância não só do mestre, mas do discípulo que faz nascer o mestre. Ao mesmo tempo, o mestre vai se reconhecendo mestre à medida que ouve ecos de suas palavras e convicções nas vozes e ações de outrem.

Com a liberdade de ter vários mestres, surge a possibilidade de pesquisadores criarem métodos ou técnicas híbridas próprios, influenciados por variadas fontes, mas correndo o risco de confundir, muitas vezes, diferentes metodologias particulares com criação de métodos ou de técnicas exclusivas. Considerando que a metodologia é o método em ação, os pesquisadores que "criam" os seus métodos não estariam apenas utilizando a origem ou a fonte de uma pesquisa para alimentar a originalidade particular e pessoal em ação metodológica? Seria, portanto, a criação de uma metodologia, não de um método.

Temos vários exemplos de trabalhos que, por mesclarem determinadas abordagens e/ou darem a elas organizações metodológicas pessoais, recebem a cunhagem de "Método...", acompanhado do nome de quem o organizou, ou mesmo outra nomeação escolhida pelo próprio profissional. Muitas vezes, as mesmas linhas de pesquisa alimentam diversos pesquisadores, que, por sua vez, ao criarem metodologias e técnicas, declaram sua autoria, mas utilizando-se dos princípios e ensinamentos de seus mestres. Segundo Angel, "alguns dizem: 'eu fiz a minha técnica'. Mas eu respondo: 'Você não está sozinho nisso. Antes de mim e antes de você já passaram outras pessoas, que foram registrando informações no corpo de diversas maneiras. Tudo na vida está registrado no corpo'".[5]

Quanto às influências, a transparência e a clareza das identificações das fontes originárias da pesquisa são relevantes. Segundo Pareyson (1997, p. 170), "é preciso recordar que ninguém consegue encontrar-se a si mesmo senão começando a descobrir-se em outros". De qualquer forma, as influências têm uma característica rizomática, ou seja, no rizoma[6] trabalha-se por composições, que fazem expandir e diversificar as mul-

---

5. Entrevista concedida à autora na cidade do Rio de Janeiro em 12 de dezembro de 2009.
6. Para saber mais sobre o conceito de rizoma, veja Deleuze e Guattari, 1995: "Uma das características mais importantes do rizoma talvez seja a de ter múltiplas entradas" (p. 22); "Um rizoma não começa nem conclui, ele se encontra sempre no meio, entre as coisas, inter-ser, intermezzo" (p. 37).

tiplicidades. Portanto, podemos entender essas influências e confluências como braços de conexões em rede.

Trata-se de influências, confluências e até mesmo de sincronicidades. Conforme aprofundamos nosso olhar como pesquisadores, percebemos que, em lugares diferentes do planeta, aconteceram movimentos sincrônicos de pesquisa, demonstrando que a época e a história direcionam as necessidades e especificidades de cada processo e de vários outros processos que acontecem simultaneamente. O modo de proceder ou mesmo o objetivo de trabalho podem apresentar semelhanças, mesmo permanecendo cada um dentro do seu contexto ideológico e geográfico.

Na educação somática, temos diversos exemplos de técnicas que se apresentam com ideias e alguns procedimentos semelhantes, partindo de pesquisas que surgiram, na grande maioria, em meados do século XX, cada uma em um país diferente do outro: eutonia (Dinamarca), técnica de Alexander (Austrália), método Feldenkrais (Inglaterra), Body-Mind Centering (Estados Unidos), ideocinese (Estados Unidos), técnica Klauss Vianna (Brasil), entre outras.

Na dança moderna, por exemplo, cujo nascimento se deu inicialmente nos Estados Unidos com o pioneirismo de Isadora Duncan (Baril, 1987), podemos ver suas influências e sincronicidades nos contemporâneos da dança moderna americana e alemã e, posteriormente, nos alunos, artistas e coreógrafos que se estabeleceram — definitivamente ou por certo tempo — em outro país, levando os ensinamentos de seus mestres a diversas regiões do mundo.

Os ensinamentos passam de geração para geração em fios que vão tecendo uma trama histórica inevitável, como na América do Norte, onde da escola Denishawn nasceram Doris

Humphrey e Martha Graham, que influenciou Merce Cunningham, que influenciou Yvonne Rainer, Steve Paxton e muitos outros. As influências são marcadas não apenas como ensinamentos repassados para as próximas gerações, mas também como negação de uma escola ou de princípios, como é o caso de Martha Graham, que alijou a escola Denishawn. Ao abandonar a escola, Graham explicou:"Não aguento mais dançar divindades hindus ou ritos astecas. Quero tratar dos problemas atuais" (Bourcier, 1987, p. 274).

Na escola alemã, Rudolf Laban ensinou Mary Wigman, que ensinou Susanne Linke. Laban também foi professor de Kurt Jooss, que ensinou Pina Bausch, entre outros. Não podemos deixar de mencionar os ensinamentos do músico e pedagogo suíço Émile Jaques-Dalcroze (1865-1950), criador da euritmia, que serviu como mola propulsora de pesquisas corporais na dança moderna, como professor de Mary Wigman e de outros; e na educação somática, como professor de Gerda Alexander, sua aluna desde os 7 anos de idade e criadora da eutonia (Gainza, 1985). E, antes disso, tivemos o precursor dos princípios fundamentais da dança moderna, o pouco reconhecido francês François Delsarte (1811-1871), que concentrou sua reflexão e suas experiências nas relações entre a alma e o corpo, mais exatamente nos mecanismos pelos quais o corpo traduz os estados sensíveis interiores.

No Brasil, a história da dança se desenha nesse mesmo fluxo de influências e confluências. Os passos dos bailarinos e suas atuações artísticas e pedagógicas vão definindo a nossa história, que não deve deixar de ser contada. Como pesquisadora da dança, tive mais acesso aos estudos da história da dança americana e europeia, já que a dança que foi se formatando aqui no Brasil ao longo de todos esses anos é pouco estudada. Esse fato pode ser justificado não só pela escassa bibliografia específica na área, mas também pelo olhar nas Artes que, em geral, é lançado mais para fora do país. Entretanto, não podemos deixar de nos referir às pioneiras da dança moderna no Brasil, "as mães da modernidade" (Navas, 1992): Maria Duschenes, Renée Gumiel, Chinita Ullman, Yanka Rudzka e Nina Verchinina, bailarinas que se estabeleceram no Brasil por volta da década de 1940 e ensinaram e influenciaram vários de nossos artistas e mestres brasileiros.

Segundo a pesquisadora Isabel Marques (2007, p. 195), é necessário refletir sobre as contribuições da história não para saber como o "artista fulano ensinava", mas para embasar o aluno e também o professor que deseja refletir sobre suas propostas artístico-educacionais em sala de aula.

> A perspectiva histórica da dança traz possibilidades de abrir horizontes para uma discussão maior: como viver o presente? Como projetar o futuro? Ou seja, o conhecimento da história propõe referências, patamares, solos concretos para problematizarmos, criticarmos e construirmos hoje uma dança que trace relações com a cidadania contemporânea.
>
> O conhecimento não linear da história, que traça múltiplas redes de relações com os saberes, fazeres e pensares do e no mundo contemporâneo, possibilita ao alunado articular de forma embasada, crítica e transformadora sua criação artística e sua educação estética.

O aprendizado da história da dança fundamenta a prática docente e a prática discente. O aprendizado histórico permite, também, referenciar pesquisas que são propulsoras de outras que poderiam se apresentar como exclusivas ou autorais pela falta de resgate histórico ou de esclarecimentos dos acontecimentos e das múltiplas redes de relações no ensino da dança.

A pesquisadora Neide Neves, na abertura de sua tese de doutorado (Berthoz *apud* Neves, 2010, p. 1), incluiu um provérbio sobre a relação mestre-aluno:

> Um provérbio japonês diz que um bom mestre é aquele que aceita ser imitado por seus alunos; poder-se-ia acrescentar que um bom aluno é aquele que deseja ir mais longe do que seu mestre, e mesmo contra ele. Perpetuar o pensamento do mestre não é repeti-lo, é torná-lo vivo, é desenvolvê-lo até libertar-se dele.

Observamos em diferenciadas técnicas uma corrente de pesquisadores que beberam de várias fontes e nos fazem perceber certa naturalidade de fluxo de pesquisa, como um rio e seus afluentes. A escola Vianna é como o leito de um rio que cada um preenche com a própria água, com a própria metodologia; e o fluxo dessa pesquisa, a partir da ação de cada um, vai redesenhando seu leito.

Em vez de continuarmos ouvindo somente as histórias de outras culturas, incorporando-as como nossas, podemos começar a contar a *nossa* história, jogando luz nos inúmeros mestres brasileiros que desenharam ou desenham a nossa trajetória por décadas a fio.

2 | A técnica Klauss Vianna para a construção de um corpo cênico

Eu corpo a corpo comigo mesma.
Não se compreende música: ouve-se.
CLARICE LISPECTOR

A construção de um corpo cênico é consequência da prática corporal de trabalho do dia a dia de sala de aula. Direciono aqui o olhar para o conceito de técnica necessária para o corpo que dança, enfocando as seguintes reflexões: qual é o corpo que dança? Como se constrói (ou se prepara) esse corpo para a cena espetacular?

Analiso aqui a prática Klauss Vianna como *técnica* de dança e educação somática. Verifico ainda como essa aplicação ocorre no corpo do artista e também no corpo do indivíduo que não é artista, ou seja, o praticante que não tem foco profissional nas artes cênicas em geral, muito comum nas aulas práticas da técnica.

Lidar com uma diversidade de público e, por conseguinte, com uma diversidade de corpos pode interferir no processo tanto do praticante com propósito cênico quanto daquele sem esse propósito. Trabalhar as mesmas questões e os mesmos tópicos corporais com profissionais e estudantes das artes cênicas (dança, teatro, música e circo), da saúde (medicina, fisioterapia, terapia ocupacional, psicologia, massoterapia e educação física), da educação (pedagogos e professores universitários em geral) e com diversos outros profissionais liberais enriquece a vivência de todos pelo fato de cada indivíduo ter de deslocar a atenção do seu nicho de interesse e, com isso, perceber as diferentes formas de entender o corpo e o movimento. O conhecimento adquirido pelos alunos de áreas tão diversas serve como material facilitador da *percepção* da singularidade e da autenticidade inerente ao trabalho aqui proposto.

Nessa proposição, pontuo que a dança mencionada aqui é imantada por outra pedagogia do movimento, cuja premissa é abordar primeiramente o humano, o sujeito que dança, sem hierarquia de valores técnicos entre os inúmeros alunos, mas com estímulo à troca de experiências entre eles. Em tal ambiente, o artista cênico é capaz de vislumbrar e potencializar outro caminho para a pesquisa de construção do corpo cênico,

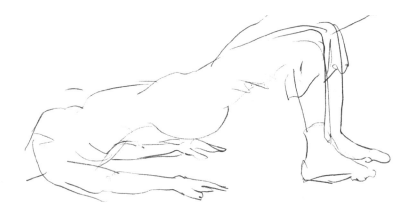

tendo a oportunidade de desconstruir padrões de pesquisa na área da dança ou do teatro.

No decorrer dos séculos, instalou-se uma insistente fronteira entre dança e teatro. Embora nos últimos tempos ela tenha se tornado mais tênue ou borrada, ainda permanece, até mesmo como objeto de estudo. Essa delicada fronteira não constitui o cerne do presente trabalho. O foco está no corpo cênico, olhar comum nas artes do corpo ao vivo, como a dança, o teatro e a *performance*, entendido aqui como soma. O corpo que dança, portanto, não é apenas do bailarino, mas também do ator.

Hoje, observamos a dança se apropriando do teatro, utilizando texto e voz (considera-se aqui que a voz é corpo), enquanto o teatro emprega cada vez mais o movimento dançado. Cada vez mais as pesquisas se pautam no território do corpo entre a dança e o teatro, território esse que pode apresentar riscos de armadilhas cênicas. Como se apropriar de uma linguagem se todo o seu histórico de formação vem de outra linguagem? Isso é trabalho, e não apenas ousadia de arriscar.

Continuando no território de fronteiras, existe a perspectiva de diálogo entre dança e educação somática[7]. Acredito ser importante investigar como a segunda pode conduzir a inúmeras possibilidades relativas à renovação dos sistemas tradicionais de ensino da dança, mas também como a primeira carrega diversas possibilidades no que diz respeito à renovação dos sistemas tradicionais da saúde e da prática física abordada pelos atores.

Muitas vezes pergunto-me o que precisa saber um bailarino para estar preparado para a dança contemporânea e a construção do corpo em arte. Conforme Ferracini (2004), o corpo em arte seria o corpo integrado, expandido e inserido no estado cênico. Como bailarina e coreógrafa, sempre me questiono sobre os resultados da nossa forma de aprendizado em dança e sobre os processos didáticos oferecidos em trabalhos corporais, pois há algum tempo a técnica pela técnica deixou de ser suficiente para fazer o bailarino dançar. O que aprendemos de dança em sala de aula e o que dançamos de fato no palco?

A técnica Klauss Vianna estimula o dançar de cada um — o que não limita a dança como privilégio de dançarinos —, a expressividade do aluno e, sobretudo, instiga este último a ser pesquisador do próprio corpo, tornando-se aluno-pesquisador de si mesmo, com autonomia de ação investigativa em sala de aula e fora dela. Dessa forma, a técnica não se restringe à aplicação somente para a dança e para as artes cênicas em geral. Ela também se aplica às atividades da vida diária, como meio de prevenir tensões e estresse desnecessários ao corpo do cotidiano. Pesquisa-se, assim, a fruição do corpo dançante na vida.

---

7. No Brasil, podemos dizer que Klauss e Angel Vianna tiveram papel pioneiro na pesquisa em educação somática.

Contudo, que dança é essa? Sabemos que o corpo dançante, ou seja, a dança pessoal do homem comum é distinta da fruição da dança do artista cujo objetivo está na dança cênica, assim como fazer arte é diferente de apenas fazer com arte. A dança cênica é fruto do fazer artístico. Ela precisa de um aprendizado amplo e profundo e de uma consciência quanto aos princípios básicos da dança e do momento cênico espetacular, ao colocar em relação, num espaço e num tempo determinados, expressões ao vivo das mais diversas em diálogo com uma plateia.

Observa-se, desde os anos de 1990, que a dança contemporânea brasileira passou por uma significativa mudança de pensamento e de operação artística, configurando uma nova dramaturgia corporal, com outra construção do corpo, o que eu chamaria de corpo vivo — ao vivo na cena. O momento presente da cena ficou mais evidenciado, muitas vezes com

estratégias de improvisação, surgindo relações mais permeáveis entre dança, teatro e *performance.*

Hoje, cada vez mais o corpo artista (da dança e do teatro) está presente no discurso acadêmico. A conexão entre teorização e prática artística fortalece o campo da dança contemporânea, e essa relação amplifica e potencializa os princípios da dança e sua viabilidade de participação na academia com a expressão do artista da dança, tanto com sua prática artística quanto com sua reflexão crítica e teórica.

Como pesquisadora da técnica Klauss Vianna, reconheço que tratar o corpo em movimento de forma aberta e abrangente converge com o momento de crescente reflexão a respeito do corpo e de suas fronteiras borradas. É possível levar em conta que as reflexões acerca da dança contemporânea no Brasil vêm criando seu percurso há duas décadas, coincidindo com o meu percurso de formação e atuação em dança. Logo, minha vivência prática testemunhou esses processos transitórios e históricos.

Os pesquisadores Navas e Dias, em seu livro *Dança moderna* (1992), dedicaram um capítulo a Klauss Vianna e analisaram a grande aceitação de seu trabalho em São Paulo nos anos 1980, o que coincidiu com o período no qual considerável parcela da população se interessava em potencializar sua capacidade física e certos coreógrafos buscavam corpos mais potentes para dançar as cenas contemporâneas, procurando as técnicas mais variadas, distantes da mecanização.

A distância da mecanização do movimento é uma das características da educação somática, que trata do corpo sensível vivenciado interiormente. Nos dias atuais, o olhar dado à dança contemporânea volta-se, muitas vezes, para os recursos oferecidos pela educação somática, ou seja, para a busca da consciência do movimento como tentativa de construir uma organicidade por intermédio do corpo presente e disponível para a expressão da dança, ou melhor, do corpo que compreende o movimento e elabora sua atenção em relação ao todo.

O CORPO PRESENTE

Constrói-se o corpo presente por diversas estratégias e procedimentos diferenciados cuja premissa é a escuta do corpo. Trata-se de um processo que se baseia na percepção como mola propulsora do estudo do movimento e, a meu ver, não deixa de ser um processo técnico. O treino da percepção foi reivindicado por Hanna (1972, p. 260) tal qual um aprendizado de entregar-se ao panorama que nos circunda, o aqui e agora: "Os seres humanos devem finalmente aprender o que significa realmente ver e ouvir e tocar, sem coordenar essas percepções através das restrições da atenção consciente ou do medo inconsciente".

O corpo presente, portanto, livra-se daquele ideal do artista cênico que busca uma presença na cena para expressar o seu algo mais. Como a presença é um dos tópicos trabalhados na técnica Klauss Vianna, utilizo esse tema corporal como mais uma estratégia para a construção de um corpo cênico. É um assunto abordado em sala de aula que envolve o treino da percepção corporal por meio das mínimas sensações detalhadas e evidenciadas, como num efeito lupa — amplificar o que é sentido —, desenvolvendo a capacidade de interiorizar os pormenores e abrir o canal das pequenas percepções para dançar. "A dança compõe-se de sucessões de microacontecimentos que transformam sem cessar o sentido do movimento" (Gil, 2004, p. 54).

Ao refletir sobre o corpo do ator, a pesquisadora Sônia de Azevedo (2002) lança uma reflexão acerca da presença cênica. Ela afirma que todos os atores, quando estão no palco, têm presença, no sentido de estarem fisicamente ali. Embora todos estejam presentes, uns são com nitidez mais presentes do que outros, e essa presença cênica é notada até em atores jovens em início de carreira e sem nenhum traquejo de palco.

A autora aponta a presença cênica como um estado de inteireza do ator, mesmo na mais completa imobilidade, com base em uma vivência somática. Acredito que o estado presente é fruto de um trabalho de percepção, e o jovem artista que apresenta esse estado em cena nos esclarece até que ponto a vivência somática requer o frescor de cada momento cênico, que só acontece uma vez, como se fosse sempre pela primeira vez, e que não deve ser cristalizado.

Muitas vezes os neófitos preservam esse estado de vivacidade do aprendiz curioso das experiências, o que é favorável a tal tipo de trabalho. Para os veteranos, a repetição dos procedimentos deve se dar como novas tentativas de exploração, um tentar mais uma vez, com o intuito de explorar e trabalhar o corpo presente na experiência.

O trabalho de presença deve ocorrer já em sala de aula. A intensificação da presença corporal do bailarino está diretamente implicada na percepção do ato de dançar no momento em que se dança. Logo, a organicidade é gerada no corpo presente naquele instante. Sobre organicidade, Ferracini (2004, p. 83) afirma:

> Ela não preexiste, não é um "algo" que deve ser encontrado ou reencontrado em algum "interior" do corpo cotidiano, mas deve ser trabalhada, gerada e pressionada concretamente por entre todos os elementos constituintes do corpo subjétil. Se qualquer um dos elementos principais que geram o corpo subjétil não estiver presente, não existirá organicidade; mas, ao mesmo tempo, a simples presença desses elementos em conjunto não garante sua existência.

O corpo subjétil (Ferracini, 2004) consiste numa espécie de transbordamento do corpo cotidiano em direção ao uso artístico desse mesmo corpo em relação. Esse corpo em relação, que pode gerar organicidade, é uma conquista almejada não só por bailarinos, mas por atores ou qualquer artista cênico, ou seja, o indivíduo em ação, expressão e reflexão no momento criativo em cena, sem nenhuma mediação no jogo espetacular. Assim, qual é a via para acessar esse corpo?

Sugere-se aqui a prática corporal para construir o corpo em estado cênico como linguagem somática livre de dicotomias. É o corpo tratado na primeira pessoa, o soma sujeito, o eu corporal que distancia o corpo instrumento na terceira pessoa. Na década de 1960, Hanna, juntamente com outros pesquisadores, começou a usar o termo "somatics" para se referir à experiência do corpo na primeira pessoa, distinta da perspectiva em terceira pessoa empregada na medicina e na terapia (Rosenberg, 2008).

‖TÉCNICA E CRIAÇÃO‖

Deixo claro que a noção de técnica aqui não visa remeter ao adestramento condicionado e cristalizado. Ela é abordada como experiência da percepção e recurso para a construção do corpo próprio, um corpo disponível, *à escuta*, tal qual um processo de descobertas constantemente reformuladas, com respeito à individualidade do aluno artista.

Aqui, falar de técnica é falar de processo, de investigação corporal para acessar um corpo cênico no território do *corpo sensível* e do corpo poético. Portanto, entende-se a técnica como um processo de investigação. O conceito de corpo próprio compreende ao mesmo tempo o corpo percebido e o corpo vivido; em suma, o corpo sensível (Gil, 2004).

A técnica no modo proposto aqui não desvincula o aprendizado de sala de aula do processo criativo; a relação entre ambos os aspectos é direta e acontece já na prática regular do aluno-pesquisador. O processo técnico tem a mesma flexibilidade e necessidade de investigação que o processo de criação. A técnica não se fecha em si, mas permite acessar o corpo para a experimentação de erros e acertos com o foco no processo investigativo, e não somente no produto artístico, resultando assim num entrelaçamento entre técnica e criação.

A técnica Klauss Vianna é considerada tanto uma técnica de dança quanto de educação somática. O trabalho desenvolvido pelo casal Vianna surgiu de suas necessidades de investigação como artistas-pesquisadores no percurso em artes cênicas (dança e teatro) e chegou à educação somática e à saúde como consequência da compreensão perceptiva do corpo e da elaboração do uso dos direcionamentos ósseos para potencializar o movimento, proporcionando o acesso a imagens e informações que emergem no movimento expressivo com infinitas possibilidades de reinvenção.

Diversas técnicas de educação somática apresentam o caminho inverso, pois se pautaram em estudos terapêuticos e objetivos específicos da saúde — de algo a ser tratado — para, num segundo momento, poder ser aplicadas em um processo artístico. Portanto, a meu ver, a contribuição diferenciada dos Vianna para os estudos do corpo e a práxis artística está sobretudo na atuação pedagógica de propor quebras, outros olhares e, por conseguinte, outros saberes. O casal criou uma pedagogia do corpo com aspectos filosóficos, ou seja, uma filosofia do corpo que joga luz sobre a dança, o teatro, a saúde e os estudos do corpo expressivo em todos os seus elementos, sugerindo o que poderíamos chamar de dança somática.

Hoje, alguns artistas cênicos, principalmente os artistas da dança, têm buscado técnicas de educação somática para conhecer melhor o seu corpo em movimento, melhorar o desempenho físico, resolver traumatismos provocados pela prática intensiva ou inadequada de dança, teatro, circo, música e encontrar novos caminhos de investigação do movimento para a criação. Mas na rotina diária prevalecem os exaustivos e repetitivos exercícios técnicos, que podem incluir uma gama diversa de procedimentos das danças moderna e contemporânea e, até mesmo, a exigência do balé clássico. A repetição mecânica acaba sendo sinônimo de adquirir mais técnica, logo mais habilidades corporais de dança, distanciando-se do pensamento das técnicas somáticas e culminando numa certa contradição.

O que se espera de técnica de dança fica ainda muito arraigado à formação de décadas atrás, do ensino mecanicista da dança formal, que entende a técnica como sinônimo de mais alto, mais rápido, remetendo-a à superação de limites. É comum, ainda nos dias de hoje, que o treinamento diário e a formação técnica do bailarino de dança contemporânea se baseie no balé clássico como obrigatoriedade da manutenção e do aprimoramento técnico corporal. Aqui, o questionamento não é dirigido ao balé clássico em si, mas à dualidade entre o corpo físico treinado e o corpo criativo expressivo.

De certa maneira, o trabalho do processo de formação técnica do artista em sala de aula pode ficar um tanto quanto dissociado da criação, tendo em vista que não entrelaça o processo técnico de aula com o processo criativo. Com isso, a prática diária acaba não sendo a via para transpor para o palco o que se vivencia em sala de aula.

Hoje temos acesso a diversas técnicas corporais de dança contemporânea; no entanto, o olhar da dança com rigor considera e privilegia ainda o balé clássico como universal e obrigatório para a real formação do bailarino. Essa postura de alguns artistas da dança pode fortalecer a visão do público leigo, que carrega o arquétipo da bailarina cor de rosa na ponta dos pés e contribui para uma visão conservadora e restrita da dança como área de conhecimento na cena contemporânea.

Levando em conta que a técnica aqui mencionada se fundamenta num território de pesquisa em processo, é fácil observar que, por mais que a origem ou o ponto inicial de Klauss e Angel, ao investigarem o corpo e o movimento, tenha sido o balé clássico, o resultado foi uma gama infinita de procedimentos investigativos para se trabalhar com o corpo de maneira sensível. Tratou-se o balé clássico como um meio de pesquisa do movimento consciente, e não como fim técnico ou estético a ser alcançado. Angel Vianna (2009) diz: "Do balé, nós tiramos o que era importante e fomos criando caminhos para conhecer o que o próprio corpo mostrava. Nada foi sem lógica. Você começa um pequeno movimento e ele desemboca em vários outros. Isso é pesquisa".

> O que é uma técnica? Para mim, além de estética, a técnica precisa ter um sentido utilitário, claro e objetivo. De que me adianta saber fazer movimentos belos e complexos se isso não me amadurece nem me faz crescer? Se não me faz abandonar os falsos conceitos competitivos da dança e da arte, de que me adianta essa técnica? [...] A dança deve ser abordada com base na sensibilidade, na verdade de cada um. (Vianna, 2005, p. 76)

Se todos os dias o bailarino é treinado de forma mecânica a adquirir habilidades corporais, no momento da criação esse corpo virtuosamente treinado pode não estar disponível para o pensamento criativo. A ferramenta que ele utilizaria para criar pode não ser a mesma que ele usa para treinar o corpo em adestramento. Se o seu treino diário corporal é a via da mecanização do movimento, a fim de acessar a via da criação da dança contemporânea deve-se passar por uma desconstrução de paradigmas.

Portanto, o corpo da cena contemporânea está com novas luzes, mas o corpo da sala de aula contemporânea pode muitas vezes não ser iluminado pelos mesmos holofotes inovadores. O desafio é "deflagrar o processo de ensino/aprendizagem de técnica de dança, não como uma camisa de força que precisa ser adquirida, mas como um instrumento que possibilite a aquisição da liberdade para dançar" (Silva, 1992, p. 4).

A técnica como camisa de força pode ser reconhecida em diversos trabalhos corporais em que o bailarino persegue a perfeição a ponto de desrespeitar os próprios limites anatômicos em prol do virtuosismo e, quando chega ao estágio avançado da carreira, precisa esquecer a técnica para dançar livremente. De modo irônico, o dançarino passa metade da vida treinando e adquirindo técnica para poder dançar. Na outra metade, ele tenta se desprender dela para dançar com liberdade.

A técnica como processo transformador aqui abordada foca a *prontidão* de estar em pesquisa e não o estar em treinamento para algo que vem depois, desvinculado do que frui. Esse estado investigativo de aula que reverbera e propõe o estado cênico é um caminho para a construção de um corpo cênico, pois o corpo já está em ação investigativa e criativa na práxis diária de sala de aula. Trabalha-se, todos os dias, a escuta do corpo em criação.

Ao questionar a postura de atuação do artista cênico, podemos esperar que uma prática corporal declarada contemporânea habite um território coerente em relação aos acontecimentos mutáveis, breves e instáveis da nossa sociedade contemporânea, mas não o imediatismo como sinônimo de descartável ou superficial que a "modernidade líquida" nos faz presenciar (Bauman, 2001). Hoje, os indivíduos estão em fuga constante do estado sólido, cristalizado e fixo:

> Fixar-se ao solo não é tão importante se o solo pode ser alcançado e abandonado à vontade, imediatamente ou em pouquíssimo tempo. Por outro lado, fixar-se muito fortemente, sobrecarregando os laços com compromissos mutuamente vinculantes, pode ser positivamente prejudicial, dadas as novas oportunidades que surgem em outros lugares. (Bauman, 2001, p. 21)

O autor retrata a liquidez e instabilidade do indivíduo contemporâneo e nos espelha numa realidade líquida. Entretanto, nossas atitudes de corpo artista se fixam, às vezes, em lugares não contemporâneos, onde o território sólido e cristalizado do corpo técnico mecanizado pode prevalecer. É a herança de mecanismos, pensamentos e atitudes que estão na nossa pele,

no ar de nossos pulmões e nas vozes e nos movimentos de outrem que inconscientemente tornam-se nossos sem ao menos nos darmos conta disso.

A professora de história da dança Laurence Louppe (2000) apresenta uma análise sobre o corpo na dança contemporânea. Ela afirma que, no início da década de 1980, houve uma perda das linhagens, surgindo assim os fenômenos de mestiçagem e de hibridação, distintos porém relacionados. Para ela, na mestiçagem há a mistura de fontes culturais, a interpenetração das formas artísticas pela mistura cada vez mais frequente do teatro com a dança, ou mesmo de diversos estilos de dança com movimentos herdados do butô, da dança moderna, da capoeira, do balé clássico, das artes marciais, do circo, numa gama infinita de combinações. As linhas de trabalho aparecem mescladas, caracterizando uma estética "impura". A autora faz uma ressalva:

> Mas uma reserva se impõe: essas misturas funcionam apenas na superfície. Elas afetam unicamente o mosaico (ou seria o marketing?) que servirá para montar o espetáculo — o seu sistema de produção, por assim dizer. Na realidade, todas essas misturas são ilusórias na medida em que o corpo do bailarino não foi tocado. (Louppe, 2000, p. 28)

Na hibridação, há uma relação não entre raças, mas entre "espécies" incompatíveis, dando-se origem a criaturas aberrantes, ou seja, ao que Louppe (2000, p. 32) denominou "corpo híbrido — aquele oriundo de formações diversas, acolhendo em si elementos díspares, por vezes contraditórios, sem que lhe sejam dadas as ferramentas necessárias à leitura de sua própria diversidade".

O corpo híbrido, se mal interpretado, pode virar um jargão no atual cenário da dança, correndo-se o risco de gerar uma justificativa superficial de trabalhos corporais no vale-tudo da dança contemporânea. Vivenciar uma técnica aqui e outra ali e, com base nisso, tecer um caminho sem revelar os fios desse tear é muito comum nos dias de hoje, não só na prática criativa, mas também na pedagógica. Isso pode ocorrer propositadamente — para simular ou justificar uma autoria de pesquisa — por não se reconhecer a origem de determinada proposta de trabalho ou, ainda, por falta de investigação sobre as fontes originárias do trabalho técnico em questão.

É certo que todo profissional em ação metodológica opera sua *alquimia* criativa no processo de dar aulas, mas o território de

ensino e criação deve ser suficientemente clarificado para que o aluno possa contextualizar sua pesquisa de movimento, que, naturalmente, passa de uma geração para outra com todos os processos de contaminação e atualização. O estudo das fontes de trabalho e de toda a rede que acaba se formando fortalece o próprio trabalho como um reconhecimento de pertencimento.

Atualmente, é comum que a reflexão e a análise mais aprofundadas sobre a dança contemporânea como arte cênica sejam pautadas na filosofia, na semiótica, na neurociência, na história do corpo etc., o que sem dúvida nos traz referenciais valiosos para ancorar e alavancar a pesquisa do corpo contemporâneo. Mas a pergunta é: o que estamos fazendo no chão de madeira do palco ou da sala de aula é coerente com o fluxo dos estudos teorizados?

Procuro não distanciar as reflexões do estudo acadêmico do fazer pedagógico e artístico de minha prática corporal investigativa e criativa, sempre atenta ao corpo em ação e reflexão com a seguinte pergunta: eu falo o que faço e faço o que falo? A pesquisa orientada pela prática e para a prática, tal como esta, talvez ajude a diluir a fronteira existente entre a teorização e as práticas de trabalho nas salas de aula e criação, visto que diversos praticantes de dança relutam em usar a pesquisa acadêmica em seus trabalhos por não se sentirem praticando a própria dança.

Muitas vezes o percurso da dança contemporânea pode se tornar contraditório, pois, ao mesmo tempo que se abre o leque de possibilidades de vivências do corpo híbrido, do corpo eclético, do corpo múltiplo e do corpo plural, essas possibilidades podem se fechar numa prática de sala de aula de séculos atrás, com a exigência implícita do treino exclusivo do balé clássico. Mesmo que na maioria dos casos as metodologias sejam atualizadas em sua aplicação, essa exigência não deixa de parecer a imposição de uma técnica codificada determinante com heranças corporais visíveis e reconhecíveis no âmbito geral.

O que presenciamos é uma contradição: uma abertura de visão do corpo contemporâneo ocorre no século presente, mas os próprios artistas da dança não se desapegam de diversos procedimentos que no discurso prático da dança não cabem mais ou devem ser revistos. O balé clássico, muitas vezes, apresenta-se como a base técnica universal validada pela dança tradicional, para depois, num segundo momento, o artista temperar essa base técnica com o que convier às suas criações no cenário desterritorializado contemporâneo, com todas as necessidades de entradas, saídas, expressões, instabilidades, indefinições, imprevisibilidades, intensidades, fluidez, hibridismos, pluralismos, inovações, evocações e experiências infinitas.

A dança contemporânea abriu caminho na década de 1960, com as propostas de múltiplos artistas da Judson Church, em Nova York, ganhou corpo na década de 1970 e ganhou visibilidade, aqui no Brasil, na década de 1980. Isso se deu em virtude dos festivais internacionais de dança — o Carlton Dance, por exemplo, em que o público (elitizado) brasileiro teve acesso a diversos trabalhos de dança contemporânea de artistas europeus, norte-americanos e brasileiros —, além de festivais nacionais de dança contemporânea, que começaram a surgir já em 1976, no Rio de Janeiro, organizados por Rainer Vianna, e em 1977, com a Oficina de Dança Contemporânea, em Salvador (BA) e na Universidade Federal da Bahia (UFBA), entre outros. O Serviço Social do Comércio (Sesc) contribuiu bastante (e o faz ainda hoje) para a divulgação e a prática da dança contemporânea desde o festival Movimentos de Dança (1988 a 1998), que acolheu e estimulou os coreógrafos emergentes com trabalho de pesquisa em dança contemporânea.

Nas décadas de 1970-80, a dança incorporou as influências dos movimentos da contracultura e do pós-modernismo, dando voz às minorias e incluindo na cena diferentes tipos de pessoas, de padrões corporais e de experiências de movimento. Essa tendência à incorporação trouxe uma relativização dos critérios sobre técnica, qualidade da obra e sobre o próprio conceito de dança. Trouxe também uma imagem mais democrática e de liberdade de expressão, que em geral é associada à dança contemporânea. No entanto, embora a dança contemporânea atual ainda contenha vestígios dessa abertura, já se apresenta alterada, com tendência a um novo fechamento. [...] a maioria dos coreógrafos atuais é mais seletiva. Muitos exigem como pré-requisito o domínio da técnica do balé clássico, preferem o padrão corporal magro e tonificado. (Gomes, 2003, p. 114)

Encontramo-nos numa realidade dicotômica, ou seja, o "tudo é possível" da dança contemporânea, que se abre para diferentes corpos, diferentes olhares, diferentes interpretações, e o "nem tudo é possível", com as regras seletivas para se realizar uma "boa dança". A meu ver, a dança contemporânea que não se restrinja a essa dicotomia pode trazer uma abertura ao pensamento da dança cênica, deixando-a mais fluida e utilizando-se da diversidade e da pluralidade como elementos básicos da ação criativa sem fronteiras.

A vivência da dança contemporânea em sala de aula pode ser revisitada com outro olhar e reverberar na cena da atualidade sem os formalismos do que se considera pós-moderno, porque poderíamos cair, mais uma vez, na forma — só que, agora, na forma dita contemporânea. Portanto, o bailarino deve buscar transformações não apenas na maneira de construir a cena, mas no modo de construir seu corpo cênico, utilizando ações coerentes com a sua criação.

A fim de fornecer estratégias para o processo técnico de construção do corpo cênico, procuro utilizar diversos focos, como: estado de prontidão para o movimento, observação do corpo em movimento, autonomia do aluno para a criação, conexão e relação com os ambientes internos e externos, entre outros. O processo técnico é enfatizado não como repetição mecânica, mas como repetição sensível, como desenvolvimento de percepções, vivências e aptidões. É, portanto, um processo qualitativo, e não um treinamento quantitativo para o acúmulo de habilidades em cadência linear a partir da repetição mecânica. É a busca do corpo sensível que não se encontra na imagem corporal refletida no espelho da sala de aula de dança, mas na experiência do corpo vivenciado com suas limitações, seus desejos e com todo o histórico do indivíduo em ação investigativa.

Assim, o corpo cênico construído para a cena contemporânea pode ser preparado todos os dias por meio do processo de acessar a dança de cada um com suas memórias, seus sentidos e suas experiências, a fim de reabitar e reconfigurar o corpo que dança. Com o foco no processo, é possível trabalhar a técnica como atitude investigativa que abre campos de pesquisa a ser explorados, abrangendo de maneira mais ampla o trabalho técnico na contemporaneidade.

Klauss Vianna (2005, p.100). enfatizava a riqueza do processo:

> Insisto que mais importante do que o desfecho do processo é o processo em si, pois normalmente somos levados a objetivar nossas ações a ponto de fixarmos metas e finalidades que acabam impedindo a vivência do próprio processo, do rico caminho a ser percorrido.

Minha abordagem da técnica Klauss Vianna para a construção de um corpo cênico pauta-se na escuta do corpo. Ao mesmo tempo que a técnica é uma mola propulsora para a criação, serve de âncora também para a recriação, para se poder voltar àquele território já percorrido, mas nunca como antes. Ou seja, o mapa utilizado pode ser igual, porém a viagem é sempre única. É a escuta do instante, o nascimento constante do instante.

A cena contemporânea enfrenta mutações, e as fronteiras diluídas entre dança, teatro e *performance* caracterizam essas transformações, que estão presentes não apenas na maneira como se faz a dança, mas também em sua receptividade.

No ano de 1988, quando eu era ainda estudante de graduação de Dança, estive no Teatro Municipal de São Paulo assistindo à companhia de dança Última Vez, do coreógrafo belga Wim Vandekeybus, com o espetáculo *What the body does not remember*, e testemunhei, atônita, mais da metade da plateia saindo desgostosa à medida que o espetáculo ia se desenrolando. Em 2008, a companhia retornou ao Brasil com a apresentação de comemoração dos seus 20 anos de existência, fazendo uma releitura do material coreográfico. O espetáculo *Spiegel* foi aplaudido em pé por bastante tempo, o que também pude testemunhar.

Ora, o que houve? A companhia apresentava uma recomposição da primeira versão coreográfica e com a mesma linguagem; aliás, as coreografias tinham momentos idênticos. O público era outro? Talvez. Mas o fato é que a recepção do público de dança mudou. Atualmente, falar de dança contemporânea com proposta investigativa está mais fácil. Não que isso seja simples, mas, fazendo uma comparação com duas décadas atrás, é possível ver mudanças na dança como expressão artística e no público da dança como recepção reflexiva. Essa recepção, portanto, se transformou com o tempo por meio de um diálogo e de uma fruição constantes com os novos contextos artísticos criados pela dança.

Percebe-se que a dança contemporânea vai se esclarecendo e se delineando para o dançarino e para o espectador à medida que o caminho se trilha no ato de dançar, acompanhado por um público participante e atuante, que constrói a própria história instaurando sempre novos sentidos. É uma ideia que permite pensar a dança contemporânea como consequência de caminhos dançados por bailarinos modernos que se autorreciclaram no contínuo exercício de fruir a dança. E o público não está excluído dessa história.

O simples exemplo das duas apresentações da companhia Última Vez, num intervalo de 20 anos, mostra que alguns artistas estão décadas à frente e como isso pode fazer diferença na digestão e recepção de seus trabalhos. O casal Vianna, ao propor ensinamentos de dança com outra abordagem, causou impactos positivos na carreira de várias gerações de artistas[8], mas também um estranhamento de recepção do trabalho artístico-pedagógico, com indagações tais quais: o que é isso? É dança? É teatro? É consciência corporal? É expressão corporal? É para bailarino? É para ator?

A dança que Klauss e Angel começaram a propor na década de 1950, por mais que representasse o balé clássico tradicionalmente conhecido, foi aos poucos se caracterizando como uma nova pedagogia do corpo com caráter investigativo, na contramão do que existia na grande

---

8. Veja depoimentos no DVD *Ciclo Klauss Vianna 2002*, de Jussara Miller, e no site/acervo www.klaussvianna.art.br.

maioria das abordagens do balé, cujo enfoque era mecanicista. "Isto reforça que a sua proposta no âmbito do trabalho corporal tem o caráter *avant la lettre*, expressão francesa que fala da antecipação ou avanço do pensamento de pessoas em relação às ideias mais correntes no seu tempo" (Neves, 2003, p. 125).

O olhar debruçado na interioridade do indivíduo e no corpo próprio, o soma, conduzindo à renovação dos sistemas tradicionais de ensino da dança, poderia ser interpretado, no século passado e até mesmo no atual, como algo inferior ao *status* da dança propriamente dita. Ainda hoje, dependendo da lente do observador, deparamos com avaliações do seguinte teor: isto não é dança, é outra coisa que, por ser desconhecida, não sei nomear e, se não sei nomear, não pode existir na classificação de dança nem na classificação de técnica de dança.

DANÇA E EDUCAÇÃO SOMÁTICA

Hoje, com o enfoque somático mais presente em alguns grupos de dança contemporânea e também nos cursos superiores de dança, a abordagem somática apresenta-se como um "possível diálogo" entre dança e educação somática, ou mesmo como estudo das "relações entre" dança e educação somática. Essas abordagens que ficaram presentes no universo da dança contemporânea apresentam a educação somática como apenas mais um "novo ingrediente da formação prática em dança", título de um artigo de Sylvie Fortin (1999).

Este livro pontua que a técnica Klauss Vianna é uma técnica de dança com abordagem pedagógica no *soma*, no sujeito, tornando necessária a interioridade do indivíduo que a pratica, seja ele bailarino, ator, *performer*, músico etc. Percebe-se que os Vianna se adiantaram em décadas com a abordagem somática da dança, isto é, com o enfoque no soma. Isso, a meu ver, fez diferença na sua pedagogia do movimento, apresentando-se como inovação dos sistemas tradicionais de ensino da dança e da construção do corpo cênico, inovação reconhecida até os dias de hoje.

Quando me refiro a essa técnica, estou falando de dança *e* de educação somática com todo o seu leque de possibilidades de investigação, pois acredito que a *educação somática* proposta pela técnica Klauss Vianna trabalha a construção do corpo cênico focado na *dança*. Dizendo de outro modo, a *abordagem de dança* proposta pelos Vianna trabalha a construção do corpo próprio, o soma, focado na *educação somática*. A dança e a educação somática se apresentam em estado de fusão e entrecruzamento, o que proporciona uma articulação de aprendizagem holística.

Em meu trabalho pedagógico e artístico com a técnica Klauss Vianna, não abordo a educação somática como mais um ingrediente ou algo complementar à dança, mas a *dança em si*, com todos os seus princípios vivenciados e aplicados na experiência do corpo próprio, proporcionando uma dança somática. Disso se pode inferir que o território de ação em sala de aula se caracteriza tanto como outra proposta pedagógica de dança quanto como outra de educação somática, na qual tratar o aluno como pesquisador dançante é compreendê-lo, a um só tempo, como aluno de dança e de educação somática.

Os princípios da dança imbricados no pensamento e nos procedimentos em sala de aula da técnica Klauss Vianna diluem as fronteiras entre dança e educação somática. Destarte, não há a necessidade do diálogo *entre, em relação* ou algo que caracterize dois universos distintos. O soma já está em processo no trabalho de construção de um *corpo integrado e disponível* para a cena contemporânea.

A pesquisadora de dança e educação somática Sylvie Fortin realizou um estudo de caso para investigar quando a educação somática entra na aula técnica de dança. Ela utilizou como objeto de estudo a professora Glenna Batson, por observar que esta apresentava novas formas de ensinar ao valorizar as práticas somáticas e integrar aspectos delas em suas aulas de dança.

O estudo foi realizado durante o programa profissional de seis semanas do Festival Americano de Dança (American Dance Festival). Embora sua aula tenha sido rotulada de terapia corporal, Glenna a julgava técnica. Explicou que, em suas aulas, os dançarinos aprendem as habilidades básicas para se organizar neurologicamente, a fim de se mover com eficiência e eficácia, e que ela continuava a lutar com certas questões conforme desenvolvia seu conceito de técnica de dança (Fortin, 1999).

Testemunho, no território da dança contemporânea, que há uma carência de pesquisa didática que entrelace a técnica à criação e também a técnica à sensação embasada no conceito sensor. Privilegia-se sobretudo o conceito motor, ao decorar passos e repetir exaustivamente sequências de movimentos. Logo, o conceito de técnica de dança ainda fica vinculado ao virtuosismo como meta do aluno e do professor; e tudo o que for relativo ao corpo sensível se enquadra em outro departamento que não o do corpo técnico, já que se subentende que ter técnica é fruto de uma exaustiva atividade motora, e não de uma atividade sensora.

> O equilíbrio entre atividade sensora e atividade motora é uma preocupação fundamental no método de ensino de Glena. O comentário que se segue exemplifica seu ponto de vista: "A dança moderna é principalmente um conceito motor. Ela não é um conceito sensor. Enfatiza passos e movimentos. Ainda há pessoas que ensinam dança como se fossem passos, sem fornecer uma pista para o fato de que são os sentidos que organizam o movimento. Olho para a sensação do movimento. Essa é a principal diferença entre eu e outros professores tradicionais de dança moderna. (Fortin, 1998, p. 84)

No contexto da dança, uma abordagem pedagógica diferenciada pode acabar sendo classificada não como aula técnica de dança, mas como aula terapêutica, como fez o próprio festival ADF, onde foi realizada a pesquisa citada. Nota-se que não é um equívoco de nomenclaturas ou de classificações, mas uma realidade histórica do próprio conceito e entendimento de técnica, com suas inúmeras interpretações e propósitos que devem ser revistos para se pensar em diferentes processos de aprendizagem em dança livres de preconceitos. Isso não significa que não se privilegia nenhuma técnica de dança, mas que a noção de técnica precisa ser repensada.

O aluno que procura minhas aulas com o propósito da educação somática não é acolhido como um paciente que busca curar uma doença postural a ser tratada, mas como um aluno-pesquisador dançante e criativo que procura a saúde de seu corpo. Isso resulta numa postura autônoma de seu processo corporal, e não numa postura de dependência do professor. Isso sem negligenciar, de maneira alguma, a necessidade do acompanhamento de profissional da saúde em casos mais agudos e específicos. Muitas vezes, em técnicas somáticas, o professor corre o risco de se colocar num patamar de terapeuta "salvador da pátria" diante do aluno vitimizado pela dor e pelas queixas.

A aplicação de educação somática no trabalho que realizo no Salão do Movimento é uma ação preventiva, e não curativa, não excluindo, porém, a possibilidade de curar ou amenizar vários sintomas de que se queixam os alunos — como insônia, enxaqueca, dores musculoesqueléticas etc. —, mas sempre em consequência do processo de dedicação prática do aluno pesquisador dançante em aulas regulares, nas quais recebem estímulos para a compreensão e conscientização de si e de suas limitações e possibilidades de movimento em busca do corpo presente. Quando digo aluno-pesquisador, refiro-me ao aluno incitado a se perceber; portanto, há um hábito, podemos dizer um treino, de se observar em ação e trazer a percepção como guia do processo técnico corporal.

Os alunos que me procuram com o propósito das artes cênicas ou exclusivamente com o objetivo técnico da dança

— como foi o caso das turmas de dança para as quais ministrei aulas da disciplina "Técnica de Dança" no curso de graduação em Dança da Unicamp — têm a oportunidade de vivenciar outra estrutura de aula, em que há, sim, repetição; não de passos, mas de temas corporais que servem como âncora de pesquisa de movimento para resultar em diferentes passos, giros, saltos, pausas e inúmeros caminhos que o soma nos possibilita.

A técnica Klauss Vianna propõe uma vivência do soma em estado exploratório, e não uma vivência do corpo mecânico que somente adquire e acumula habilidades. Vivenciamos, mais do que o corpo hábil, o corpo lábil, no sentido de transitório, instável e sempre em transformação, que permite ao artista cênico deixar viva e ativa a postura da investigação necessária ao processo criativo. A transformação que ocorre com base no enfoque somático é evidente e acontece em vários planos, até no processo de criação artística em geral.

A pesquisadora Sylvie Fortin afirma que, quando se vive um processo em educação somática, transforma-se a si mesmo e também a percepção que se tem de si próprio: "Quando vivemos um processo de transformação profundo, todos os planos se integram e, então, a essência de nossa produção artística também se modifica" (Fortin, 2004, p. 127). É um trabalho sobre a consciência de si mesmo, e tal processo pode provocar inúmeras transformações.

Nesse território em transformação emerge o corpo lábil, ou seja, o corpo próprio em estado exploratório e perceptivo. Falo do corpo próprio como o corpo construído pela percepção e conscientização do movimento por meio da estimulação sensória, ou melhor, o corpo sentido na experiência do movimento. "A noção de corpo próprio compreende ao mesmo

tempo o corpo percebido e o corpo vivido, em suma, o corpo sensível" (Gil, 2004, p. 55).

O praticante busca nas aulas o estar no mundo, o corpo presente, o corpo do indivíduo, o cidadão da dança da vida. Esse corpo próprio dançante e expressivo é requisito do corpo cênico abordado aqui. Klauss Vianna dizia que, antes de ver o dançarino, interessava-se pelo ser humano: "A técnica, hoje em dia, todo mundo aprende. Mas a técnica não é nada sem as ideias, a personalidade do bailarino" (Vianna, 2005, p. 74).

O reconhecimento do próprio corpo confere ao praticante disponibilidade corporal para sentir e lidar com o instante do momento presente; entretanto, trata-se de uma transformação gradual, que se dá pelo despertar dos cinco sentidos especiais, mediante os quais nos relacionamos com o mundo e, ao mesmo tempo, desenvolvemos e aguçamos o sentido cinestésico, que compreende a percepção do corpo no espaço e no tempo.

Para verticalizar a pesquisa de dança e educação somática como um laboratório da percepção, a historiadora da dança Annie Suquet (2008, p. 515-16) explica a precedência do termo "propriocepção", tão utilizado nos estudos do corpo dançante:

> Em 1906, o inglês Charles Scott Sherrington, um dos pais fundadores da neurofisiologia, reúne, sob o termo "propriocepção", o conjunto dos comportamentos perceptivos que concorrem para este sexto sentido que hoje recebe o nome de "sentido do movimento" ou "cinestesia". Muito complexo, ele trança informações de ordem não apenas articular e muscular, mas também táctil e visual.[...] É este território da mobilidade, consciente e inconsciente, do corpo humano que se abre para as explorações dos bailarinos no limiar do século XX.

O refinamento do corpo sensível é resultado de uma cinestesia em trabalho diário que vai se desenvolvendo de forma que o aluno possa acessar o corpo que dança com base em sua percepção, que é a atitude primeira de sala de aula e fora dela. Portanto, o movimento se estabelece a partir da percepção de seu caminho, guiado pelo sentido do movimento, e não pela forma ideal exteriorizada. Esse processo, portanto, é um trabalho técnico do corpo que dança.

O corpo dançante trabalhado em minhas aulas pressupõe como foco de pesquisa a anatomia sensível, ou seja, o corpo é analisado não no sentido de acumular conhecimentos anatômicos aleatórios, mas para clarificar ações adequadas às necessidades corporais. Busca-se o corpo sentido, servindo a anatomia como recurso para concretizar estratégias de atuação investigativa do corpo.

O sistema ósseo-esquelético é o eixo de investigação do corpo sentido em sala de aula e amplia a pesquisa para a reverberação nas cadeias musculares, ou seja, cadeias musculares específicas são acionadas a partir de vetores e de direcionamentos ósseos específicos. Logo, a anatomia sensível guia o corpo dançante em relação com a força da gravidade, com o espaço, com o outro, numa gama infinita de escuta, percepção e fruição da experiência no diálogo constante do interno com o entorno.

> A busca e, depois, o questionamento dos comportamentos motores reflexos, a apaixonada exploração da propriocepção acabaram culminando nas práticas da improvisação. Estas constituíram um cadinho onde a dança contemporânea experimentou e elaborou uma grande parte das suas técnicas. Através da exploração do corpo sensível e pensante, a dança do século XX não cessou de deslocar e confundir as fronteiras entre o consciente e o inconsciente, o "eu" e o outro, o interior e o exterior. E também participa plenamente na redefinição do sujeito contemporâneo. (Suquet, 2008, p. 537)

A exploração do corpo sensível e pensante aponta uma redefinição e elaboração de grande parte das técnicas de dança e de práticas de improvisação que a dança contemporânea apresenta, convergindo, portanto, com a pesquisa dos Vianna. É sabido que a origem da investigação do movimento humano fundamentado por Klauss e Angel Vianna, na década de 1940, partiu do balé clássico. Os movimentos e arranjos coreográficos da dança clássica serviam de suporte para os questionamentos e estudos dos espaços articulares pesquisados nos caminhos de movimento. No entanto, a escuta do corpo como premissa orientou o trabalho dos Vianna para um percurso contemporâneo que elaborou os procedimentos técnicos a partir do uso da improvisação, culminando em ações pedagógicas diferenciadas não só para a prática do balé clássico, mas também para a prática da dança moderna e, hoje, para a prática da dança contemporânea. Portanto, a técnica Klauss Vianna é também uma prática de improvisação.

Com base no que vimos até agora, poderíamos afirmar que, no Brasil, Klauss Vianna inaugurou o uso de improvisação em cena, procedimento principal do processo criativo exercido pela escola Vianna. Hoje, esse procedimento é mais conhecido e pra-

ticado no país, inclusive pela improvisação de contato, o *contact improvisation*, elaborado pelo estadunidense Steve Paxton, que na década de 1970 propôs o uso de diferentes aspectos do contato com um ou mais corpos como pesquisa de um trabalho geral de improvisação. Daí a noção de "composição instantânea", reivindicada e utilizada por Paxton (Suquet, 2008).

Na técnica Klauss Vianna, a improvisação é um recurso primordial para acessar o corpo presente, em prontidão, na escuta do momento que se transforma instantaneamente. Durante as aulas, o estudo do movimento se apoia na estratégia de improvisar e perceber o que acontece enquanto se faz. A percepção do movimento e de sua articulação com o outro e com o espaço ancora e integra a prática diária de construção de um corpo presente e de construção de um corpo cênico que dança, seja este um bailarino, um ator ou um *performer*.

3 | A técnica Klauss Vianna para crianças

Fazer, gostar de fazer, compreender o que se gosta de fazer.
RUDOLF STEINER

A dança que fazemos hoje, como adultos, não deixa de ser uma herança de todo o nosso percurso de fazer a dança numa formação continuada ou mesmo numa formação parcial, em cursos temporários, durante a infância ou a adolescência, dependendo do estágio inicial de cada pessoa. Portanto, o pensamento de corpo e movimento já está instaurado em nossas ações e no nosso modo de fazer a dança desde os primórdios. Ou seja, a construção de um corpo cênico é iniciada lá atrás, com o que mais reconhecemos de expressivo em nossa bagagem do corpo em movimento.

É comum, hoje, nos surpreendermos com afirmações dicotômicas no nosso fazer artístico e didático, em consequência de toda a educação geral dualista que recebemos e talvez permaneça como modelo cartesiano que nos escapa, como um ato reflexo que nos distancia da reflexão do soma.

Considerando o fluxo de pesquisa em *continuum* com seus desdobramentos, o meu trabalho de sala de aula foi se ramificando não só para o público adulto, mas também para o infantil. Ou seja, desenvolvi uma aplicação da técnica Klauss Vianna para crianças, elaborada durante 20 anos de pesquisa nessa técnica.

Enxergando a técnica como caminho de investigação, venho trabalhando, desde 2001, a técnica Klauss Vianna com o público infantil, abordando o ensino de dança e educação somática para crianças, fundamentado em experiências e vivências com alunos de 5 a 12 anos. No curso que ministro, a técnica Klauss Vianna é aplicada de maneira lúdica para estimular o desenvolvimento da coordenação motora, da percepção dos espaços articulares do corpo, do espaço em relação ao outro e do uso do espaço geral. Estimulo a socialização e a ampliação da capacidade criativa com atividades lúdicas grupais e, sobretudo, a preservação do movimento expressivo e espontâneo da criança, considerando a sua aptidão inata para a criação.

O enfoque é na pesquisa do movimento consciente com o uso da improvisação lúdica, o que torna evidente a fertilidade desse trabalho num contexto infantil. Há quase uma década realizo a pesquisa com crianças sem mesclar a Técnica Klauss Vianna com outros recursos ou técnicas de dança — como o balé clássico ou o método Laban, abordagens mais utilizadas quando se trabalha a dança na infância.

A proposta é trabalhar os princípios da dança preservando a espontaneidade de movimento da criança, não oferecendo sequências coreográficas prontas, mas estimulando-a a incorporar a dinâmica de investigação do movimento no ato de dançar. O curso desenvolve o sentido de cooperação e integração com o outro, com o meio e consigo mesmo a partir de jogos corporais de dança, trabalhando em sinergia os aspectos motores, cognitivos, afetivos e sociais.

A dança é revelada à criança a partir de suas explorações corporais, no processo de descobrir o próprio corpo e suas possibilidades de movimento. As crianças são estimuladas pelo professor quando este reconhece, nas experimentações de movimento do aluno, os princípios da dança. Aos poucos, são trabalhados diferentes aspectos de desenvolvimento, tais como:

- *Aspecto motor:* adequação do corpo aos estímulos oferecidos, análise das propostas corporais e sua aplicação em movimento expressivo, conscientização postural, coordenação motora fina e global, agilidade, velocidade, flexibilidade, resistência, equilíbrio, ritmo e prontidão de movimento.
- *Aspecto cognitivo:* pensamento, estratégia grupal, raciocínio e criatividade.
- *Aspecto afetivo:* autoconhecimento, sensações, emoções e sentimentos vivenciados em movimento a partir das improvisações em aula.
- *Aspecto social:* socialização e cooperação grupal, respeito às diferenças e às regras de jogos corporais de dança com aplicação prática em grupo.

Todas as atividades oferecidas no curso utilizam uma metodologia específica para crianças que desenvolvi nesses anos de pesquisa. Realizei uma adequação das atividades de sala de aula do adulto à faixa etária infantil, com o objetivo de incentivar a investigação e preservar a liberdade de movimento da criança.

O *respeito* à individualidade, ao outro, bem como ao próprio corpo e aos seus limites anatômicos é uma premissa desse trabalho. Em consequência desse respeito, podemos trabalhar

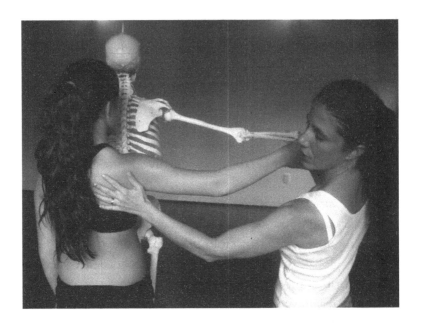

com um grupo heterogêneo, mas as crianças de 5 a 9 anos, em média, são direcionadas para um horário diferente dos alunos de 10 a 12 anos.

A liberdade de escolha inerente ao processo investigativo das vivências práticas do movimento consciente e expressivo promove o desenvolvimento da consciência grupal, em que as relações com o outro e com as regras das propostas desenvolvidas em sala de aula diferem das ações habituais do trabalho corporal, possibilitando à criança criar novas estratégias do corpo em relação.

A pesquisa com crianças se iniciou com minhas filhas, a partir do gosto delas de dançar, junto com minha necessidade de proporcionar a elas uma dança que não fosse formalizada, por causa do risco de interferir na sua livre expressão de movimento. Fui trabalhando os temas corporais da técnica Klauss Vianna com elas e suas colegas, o que gerou um grupo regular

|QUAL É O CORPO QUE DANÇA?|

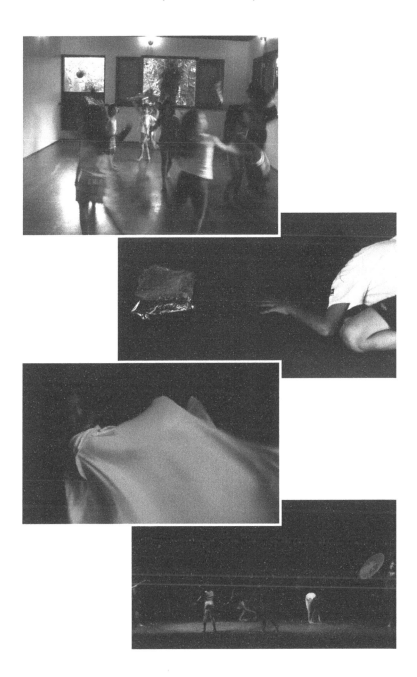

de dança. Percebi que o estado de curiosidade e investigação que era necessário estimular nos alunos adultos muitas vezes já estava instalado nas crianças naturalmente.

O processo lúdico, que é a etapa introdutória da técnica Klauss Vianna, apresenta procedimentos favoráveis para acessar o corpo da criança, porque envolve a exploração do corpo com todas as possibilidades de movimento, proporcionando o estado do corpo presente a partir do reconhecimento dessas possibilidades. O processo é encaminhado de maneira lúdica, como um jogo de experimentações orientado pelo professor.

Os temas corporais trabalhados em sala de aula ficam explícitos para que as crianças explorem os movimentos e seus variados caminhos, além de perceberem as regras das propostas grupais e de estabelecerem, ainda, uma cumplicidade grupal. A dança aqui proposta não é um recurso para recreação no sentido de extravasamento apenas. As aulas podem ser alegres e divertidas, mas os propósitos são bem focalizados, inclusive para ser mais uma nova exploração dentre outras tantas. "O papel do professor é fundamental. É ele quem, ao olhar os movimentos das crianças, estabelecerá elos com a dança" (Damásio, 2000, p. 230).

Para estimular o corpo sensível da criança, utilizo objetos facilitadores, como bolas de diversos tamanhos e texturas, bexigas, saquinhos coloridos, bolas de sabão, língua de sogra, tecidos de diversas medidas e texturas e bambus, entre outros objetos que despertam a criatividade da criança durante a vivência da dança. Quando utilizo variados objetos facilitadores — inclusive um modelo representativo do esqueleto humano —, faço-o apenas para mostrar as possibilidades de movimentos articulares da estrutura óssea e para ajudá-las a reconhecer as inúmeras vias para acessar o corpo que dança.

A criança começa a se apropriar de um vocabulário técnico de dança ao explorar o movimento, que, por sua vez, estabelece um contato e um reconhecimento do próprio corpo. Em outras palavras, com base nesse enfoque somático, a criança se guia por suas necessidades de movimento. Sobre a relação da educação somática com o trabalho com crianças, Fortin (2004, p. 122), ao ser entrevistada, compartilha a sua experiência:

> Antes mesmo de ter uma carreira como bailarina profissional, eu sempre me interessei pela dança para crianças. Eu ensinava dança criativa para crianças e depois de muitos anos havia desenvolvido a habilidade para conseguir fazê-las se expressar, fazê-las dançar. Mas chega o momento no qual a criança deve ter alguma técnica, ou seja, dominar habilidades corporais e não somente habilidades expressivas. É delicado separar as duas coisas, mas, enfim, vocês entendem o que eu quero dizer. Então, assim que as crianças passavam para uma técnica, seja o balé, seja a dança contemporânea, é como se elas perdessem essa espécie de mágica expressiva, de expressão do interior da pessoa, e eu me dizia que devia haver certamente alguma maneira de acompanhar a criança no desenvolvimento de suas habilidades técnicas, mas ao mesmo tempo manter essa espécie de ligação particular, uma relação com a sua sensibilidade. Foi nesse momento que eu me interessei pela educação somática, pois eu pensei que essa tomada de consciência corporal que desenvolvemos, que afirmamos na educação somática, era o meio de desenvolver a técnica para as crianças.

A autora revela um conflito dicotômico frequente no universo da dança quando aponta o momento em que é necessário

dominar habilidades técnicas corporais, e não somente habilidades expressivas. Além de evidenciar uma separação entre a habilidade técnica e a expressiva, a dança tradicional parece priorizar ainda a técnica. A atitude pedagógica proposta aqui alija essa dicotomia e trabalha com as habilidades expressivas e as habilidades técnicas intrinsicamente, sem hierarquias.

Acredito que tanto para a dança da criança quanto para a dança do adulto o trabalho técnico sem perder a sensibilidade e a expressividade se faz possível quando, nessa mesma abordagem técnica, seja considerado e trabalhado o soma do praticante, e não o corpo como instrumento a ser afinado, lapidado, treinado, adestrado para que, depois de toda essa roupagem técnica hierarquizada, a expressividade possa vir à tona.

Durante a experiência como professora no curso de graduação em Dança da Unicamp, orientei meus alunos — futuros professores de dança — a não iniciar seu percurso didático com crianças, mas com adultos. Isso porque as crianças exigem cuidado apurado devido a fatores como a espontaneidade de movimento, que deve ser estimulada e preservada, o cuidado com o corpo e suas articulações, que ainda estão em formação, e inúmeras outras cautelas de linguagem e abordagem. É comum o jovem estudante, que não tem tanta prática didática, escolher lecionar inicialmente para crianças, achando equivocadamente que se trata de trabalho menos importante e menos exigente, portanto mais fácil.

Sobre a importância do ensino da dança para crianças, Klauss Vianna (2005, p. 75) pontua:

> Toda a deformação da dança, no Brasil, começa no ensino. Quando eu estava na Escola de Bailados, em São Paulo, expliquei aos professores que a criança é um ser muito sensível, um ser humano em formação, que é preciso incentivar a curiosidade, as perguntas, o interesse pelas aulas, responder às dúvidas, ter cuidado com o tom de voz, explicar, explicar sempre. Ainda assim, vi professoras massacrando as alunas, repetindo palavras de ordem como "Relaxa, relaxa, relaxa" e dizendo que foi o diretor quem mandou.

Incentivar a curiosidade e as perguntas é uma característica inerente a esse trabalho; portanto, percebo ao longo do processo com os grupos infantis que o caminho proposto é acessado com facilidade pela criança. Diversos assuntos chegam à aula como curiosidade do próprio aluno e são oportunamente trabalhados como recurso para o esclarecimento geral da diversidade do trabalho em dança contemporânea. A criança é encorajada a entender o tema corporal que está sendo trabalhado em aula para ter, além de uma autonomia de expressão, um entendimento técnico dos princípios do movimento.

A singularidade de cada aluno em relação à diversidade grupal é trabalhada à medida que a heterogeneidade do grupo proporciona a troca de experiências. Alguns meninos, mesmo que em minoria, também participam das aulas, o que é raro. Em nossa sociedade, as meninas em geral procuram o balé clássico e os meninos o judô, o kung-fu, o futebol etc. Essa realidade é estimulada pelos próprios pais e educadores como fenômeno cultural. As diferenças de gênero, masculino e feminino, segundo Maturana (2004), são somente formas culturais específicas de vida, não tendo os diferentes valores que nossa cultura patriarcal confere às diferenças de gênero fundamento biológico.

> As técnicas corporais são também condicionadas por fatores socioculturais. A escolha de uma ou outra atividade é carregada de valores. Ela não foge a certas convenções sociais, sobretudo no que tange à educação das crianças. Por que acolhemos, por exemplo, a dança clássica para as meninas e o judô para os meninos? Num país onde a herança machista ainda está presente, raramente se veem meninos em aulas de balé. [...] Há papéis bem definidos para homens e mulheres em nossa

sociedade, apesar do movimento contínuo pela igualdade de todos. (Strazzacappa, 2006, pp. 45-46)

Os próprios pais são cúmplices dessa realidade ao dirigir os filhos a atividades específicas. Logo, fica claro que as escolhas não ficam sujeitas apenas aos quereres dos filhos ou ao direcionamento dos pais, mas é toda uma trama cultural que veste as nossas escolhas. Na maioria das vezes, são as mães que levam as crianças para as aulas. Esse comportamento já pode trazer interpretações de uma sociedade patriarcal, na qual o provedor trabalha e cabe à mãe cuidar das crianças e levá-las às atividades diárias. Mas como esse não é o foco deste livro, esse assunto não será aprofundado. De qualquer forma, gostaria de deixar a observação de que o corpo já está sendo construído com todos os seus valores nos hábitos de

criação, muitas vezes contaminados pelos mecanismos de nossa cultura.

Na sala de aula, a experiência do corpo presente é o objetivo primeiro do grupo, e a dança acontece espontaneamente em consequência desse processo. As propostas são dadas pelo professor em caráter de colaboração, ou seja, não se entra no âmbito da obediência do corpo dócil, do corpo submisso e exercitado, fabricado pela disciplina (Foucault, 1987). A colaboração ocorre por meio de um relacionamento espontâneo entre professor, aluno e grupo em relação à proposta a ser experienciada. Para Maturana e Verden-Zöller (2004, p. 158-159), "[...] só quando uma criança conhece de modo operacional sua cabeça, pés, braços, ventre e costas, como seu próprio corpo em movimento, é que ela pode conhecer o acima, o abaixo, os lados, o em frente e o atrás como características do mundo em que vive".

Com a experiência da atividade motora, a criança pode chegar à consciência das possibilidades de seu corpo. O seu entorno, o seu mundo, é a expansão do seu interno, do seu corpo.

Todos os tópicos trabalhados com os adultos em sala de aula são trabalhados com as crianças com ênfase maior no processo lúdico, explorando-se as possibilidades do corpo presente e das articulações, do estudo do peso e dos apoios em relação ao chão, ao próprio corpo e a objetos, e do estudo da resistência e das oposições ósseas, conscientizando a criança de seu eixo global em diálogo constante com a força da gravidade. A maneira lúdica de desenvolver as aulas ajuda a criança a se colocar no estado de pesquisa de movimento.

Durante a aula, a criança é encorajada a brincar com o próprio corpo e a perceber o que acontece no momento presente. Não se busca o gesto belo, os passos certos, tampouco o movimento habilidoso de uma futura bailarina ou de um futu-

ro bailarino. Os alunos vivenciam o movimento tal qual o ato de brincar, em que a prioridade é o ato em si, e não o resultado do ato executado. A experiência do próprio corpo ancora todo o processo do corpo em movimento.

O corpo presente já é vivenciado pela criança como reflexo de sua relação com a vida quando ela brinca e conquista possibilidades de ações e experiências múltiplas do cotidiano. Os pesquisadores Maturana e Verden-Zöller (2004) discorrem sobre o ato de brincar não como uma ação que tem o olhar no futuro, mas como uma atividade de ser e estar presente no ato de sua prática. Brincar não é uma preparação para nada, é fazer o que se faz em total aceitação, sem considerações que neguem sua legitimidade.

> Chamamos de brincadeira qualquer atividade humana praticada em inocência, isto é, qualquer atividade realizada no presente e com a atenção voltada para ela própria e não para seus resultados. Ou, em outros termos, vivida sem propósitos ulteriores e sem outra intenção além de sua própria prática. Qualquer atividade humana que seja desfrutada em sua realização — na qual a atenção de quem a vive não vai além dela — é uma brincadeira. [...] Adquirimos consciência individual e social por meio da consciência corporal operacional. (Maturana e Verden-Zöller, 2004, p. 232)

Com o enfoque na atitude fundamental da brincadeira voltada para ela própria e não para os seus resultados, evidencia-se a atenção e a sensibilidade para o momento presente da vivência do movimento da criança em sala de aula. A sua dança emerge da qualidade dessa vivência, não almejando um resultado que lhe seja externo, que a professora ensinará corretamente pressionando o aluno e deixando-o insensível ao processo. Esse caminho desconstrói o papel do professor como modelo, papel esse alimentado, muitas vezes, pela nossa sociedade de pais e professores de dança na contínua justificação das ações "corretas" em função de suas consequências. Não desconsiderando aqui a imitação como necessidade inata do indivíduo, podemos dizer que a criança espontaneamente pode imitar conforme a percepção da experiência.

Procuro não infantilizar a linguagem corporal, ou melhor, não subestimo o entendimento da criança sobre o corpo humano. Apresento a nomenclatura óssea à medida que o aluno reconhece seu corpo, trabalhando o alinhamento postural, a conscientização do movimento, o alongamento e a improvisação por meio de temas corporais experienciados em aula. Assim como as crianças aprendem as cores com facilidade e se fascinam com as combinações delas, aprendem os nomes dos ossos e das articulações e se fascinam com suas possibilidades e qualidades de movimento.

Com o público infantil trabalho ainda o processo criativo que estimula a autonomia da criança para criar e compartilhar com o público de família e amigos. É um exercício do corpo em relação ao outro, ao espaço-tempo, à música, além do exercício de estar no ambiente de teatro por meio de apresentações anuais. Para esse momento, são trabalhados a improvisação em cena, células coreográficas e percursos espaciais criados por elas, entre outras estratégias de criação. Considere-se que a maioria dos procedimentos trabalhados em aula é desenvolvida a partir de improvisações das próprias crianças, desconstruindo o padrao do professor modelo que dita passos de dança a ser decorados. Trabalhamos a improvisação em aula e em cena não apenas como procedimento para explorar e criar novos movimentos, mas também como estrutura

de composição coreográfica. Por meio desses procedimentos direcionados para o palco, podemos vislumbrar a possível construção de um corpo cênico, ou até mesmo outra abordagem sobre o corpo e a dança, utilizando os princípios da técnica Klauss Vianna como meio de estudar, descobrir e criar movimentos expressivos.

As apresentações são fundamentadas na investigação de duas décadas sobre o movimento consciente em improvisação que, em cena, veste-se de poesia. A improvisação em cena é realizada com a tranquilidade construída durante todo o processo em sala de aula com as crianças. Para elas, é um processo estimulante, portanto a apresentação funciona, sobretudo, como uma aula aberta e como um exercício cênico, com a apreciação do momento presente da dança contemporânea.

A improvisação é trabalhada mesmo nesse ambiente de teatro, em que existe o observador externo, como pais, familiares e amigos. Objetivo trabalhar a organização das atividades prediletas, respeitando o desejo da criança de dizer: "Olha o que eu preparei pra vocês!" Não no sentido de uma exposição exibicionista, mas no de compartilhar momentos, experiências e desafios. Como professora, procuro ficar atenta, durante o processo de aprendizagem das crianças, para que o aluno leve a dança como uma experiência, e não como um dever.

Nas crianças, a expressão artística equivale a um experimento direto. Conquanto ocorra na área do sensível, o fazer não se coloca para a criança num plano diferente de qualquer outra experiência de vida — apenas é feita com materiais que por nós são considerados "artísticos". Assim, a tensão psíquica corresponde à experiência, a criança extravasa no momento da ação. (Ostrower, 2009, p. 74)

Assim como os momentos se sucedem para a criança, as experiências também se sucedem, e a vivência registrada nos momentos passados será incorporada e retrabalhada naqueles que virão. Com isso, o aqui e agora é vivenciado com toda a potência.

Aos poucos, em sala de aula, as crianças vão se encorajando a se movimentar livremente ou, ainda, a se permitir novas vivências corporais e novos desafios. Os caminhos e os processos dos movimentos são mais valorizados que as formas destes. Dessa maneira, o aluno vai se incluindo no grupo e se desapegando dos inerentes modelos de corpo idealizados por cada um, por exemplo: a menina que pode aspirar aos movimentos virtuosos da bailarina clássica ou o menino que pode almejar o salto do guerreiro.

O processo é encaminhado de maneira lúdica, como um jogo de experimentações orientado pelo professor. Alguns procedimentos são ritualizados, ou seja, repetidos num mesmo momento de cada aula, para que as próprias crianças possam reconhecer o andamento do trabalho e seus momentos diferenciados. Por exemplo, no início acordamos os pés, massageando-os, abrindo os dedos, articulando metatarsos e tornozelos; logo, o aluno identifica esse procedimento como etapa inicial da aula. Chegar à sala e, consequentemente, chegar ao grupo é um momento em que a criança se expõe para todos contando uma demanda para a aula, um acontecimento corporal que tenha chamado sua atenção durante a semana ou as novidades, ou seja, é um momento de chegança.

Num segundo momento, fazemos um espreguiçar livre para equalizar o tônus corporal, sentir o chão e estar à vontade nele até chegar numa pausa de escuta do corpo e dos sons do ambiente, como pássaros, cachorros, vento, chuva etc. A sala de aula tem o privilégio de estar localizada num local tranquilo, sem interferências de ruído de veículos e outros, onde a experiência do silêncio, tão rara nos dias de hoje, possa ser vivenciada pela criança. Num terceiro momento, fazemos o aquecimento de todas as articulações do corpo em relação ao espaço/tempo mediante a experiência dos movimentos parcial e total, com a compreensão das possibilidades de movimento das articulações, inclusive da coluna vertebral, permitindo-se o desbloqueio das tensões musculares já presentes no corpo da criança.

Observa-se que uma grande parte dos alunos chega com encurtamentos musculares, precocemente, e com diversas restrições de movimento ou posturas herdadas de seus pais —

algo que pude notar em sala de aula, já que em diversos casos os pais também fazem o meu curso no grupo dos adultos.

O espaço físico do Salão do Movimento é constituído de chão de madeira adequado para a dança, que permite a pesquisa de movimentos e a exploração de apoios no chão. Na sala de aula, propositalmente, não há espelhos, com o objetivo de não usar uma referência externa para tratar o corpo que dança. Além disso, há quatro janelas grandes voltadas para um jardim, elemento importante para o trabalho com a percepção dos sentidos e, em especial, o apoio do olhar no espaço, o que proporciona um estudo sobre o corpo presente em relação.

A criança tem acesso, no espaço externo da sala de aula, a cordas penduradas numa grande árvore e, ainda, à possibilidade de subir em árvores, correr livremente e brincar de bola no gramado e fazer piquenique, atividades estas consideradas

intervalo-lanche, mas na concepção da professora o trabalho corporal já está acontecendo na experiência livre do entorno.

Observa-se que, numa sociedade moderna elitizada, a educação para o não movimento acontece cotidianamente. Um exemplo é a criança que se movimenta do carro dos pais para a próxima atividade da atribulada agenda infantil, de volta para o carro e de volta para a casa ou apartamento.

> Fica claro que a questão da educação corporal não é responsabilidade exclusiva das aulas de educação física, nem de dança ou de expressão corporal. O corpo está em constante desenvolvimento e aprendizado. Possibilitar ou impedir o movimento da criança e do adolescente na escola; oferecer ou não oportunidades de exploração e criação com o corpo; despertar ou reprimir o interesse pela dança no espaço escolar, servir ou não de modelo... De uma forma ou de outra, estamos educando corpos. Nós somos nosso corpo. Toda educação é educação do corpo. A ausência de uma atividade corporal também é uma forma de educação: a educação para o não movimento — educação para a repressão. (Strazzacappa, 2001, p. 79)

Para trabalhar com as limitações dos movimentos das articulações, proponho alguns alongamentos em diferentes ações com o uso de objetos facilitadores. Por exemplo: para alongar a musculatura posterior das pernas, utilizo uma "abelhinha" que massageia as costas de cada criança enquanto o alongamento é efetuado. É um momento em que algumas crianças reclamam por sentir o desconforto do encurtamento mas que não deixa de ser mais uma vivência e um desafio de experimentar algo que oferece certo grau de dificuldade. Aos poucos, as crianças vão ganhando espaços articulares e, consequentemente, vão construindo um eixo global mais adequado e maior liberdade de movimento.

Não se busca o curso infantil apenas por conta da dança: percebe-se, por parte de alguns pais, a preocupação com a postura do(a) filho(a), que às vezes já apresenta alterações de ali-

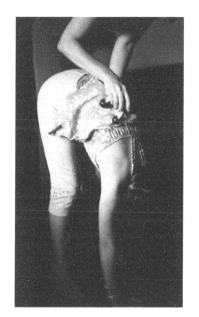

nhamento postural. A experiência do corpo em movimento com respeito aos espaços articulares e com a consciência dos seus limites e desafios pode proporcionar ao aluno a conquista de um eixo global, tendo como consequência o alinhamento da estrutura óssea e um bom tônus muscular.

Nessa abordagem somática, exploramos o corpo globalmente e a inter-relação de todas as suas partes e de todos os seus aspectos, o soma. Exploramos a flexibilidade da coluna a partir de "pontes", rolamentos e movimentos provocados pelo uso de tecidos e bolas, entre outros objetos facilitadores. Exploramos, ainda, simetria e assimetria de movimentos em diferentes posturas, trabalhando a relação dos membros inferiores e superiores com o tronco. Pesquisamos movimentos variados, como espirais, recolhimento e expansão, oposições, movimentos periféricos, centrípetos, centrífugos etc.

Toda a investigação é do corpo em relação ao grupo e ao espaço. As músicas utilizadas são variadas e não necessariamente destinadas ao público infantil — na maioria das aulas, uso músicas instrumentais diversificadas para criar uma sensibilização ao tempo e à música. A criança experimenta, ainda, estímulos sonoros variados, originados de instrumentos com sonoridades específicas que sugerem diferentes qualidades de movimento; além disso, ela pode provocar o som com palmas e batidas no próprio corpo e usar marcações com os pés no chão. Estimula-se a escuta do silêncio e a escuta dos sons do ambiente e, também, o uso de contagem binária e quaternária para se construir a noção de tempo e estimular a escuta musical do aluno.

Acredito que uma vivência em dança com abordagem somática como a proposta aqui possa contribuir para a construção de um corpo cênico do futuro intérprete-criador. Em outros termos: a vivência da dança na infância poderá despertar o aluno para um contínuo processo expressivo e sensível do movimento: "[...] a técnica de dança começa muito antes daquilo que usualmente reconhecemos como técnica. Seu caminho foi preparado, sedimentado com base na evolução psicomotora da criança" (Damásio, 2000, p. 243).

Podemos inferir que a educação das novas gerações necessita de pessoas com novas visões e experiências, pois o futuro professor de dança se prepara com base em suas memórias e nas relações com o próprio corpo e com o ambiente na busca do saber sensível: "Corporal, antes de tudo, quer dizer sensível. Mas não: há que se negar nossa peculiar via de acesso ao mundo — pensemos mais e dancemos menos; aliás, nem nos movimentemos, a não ser intelectualmente, através das elucubrações e dos conceitos" (Duarte Jr., 2006, p. 27).

> Mais do que nunca, é preciso possibilitar ao educando a descoberta de cores, formas, sabores, texturas, odores etc. diversos daqueles que a vida moderna lhe proporciona. Ou, com mais propriedade, é preciso educar o seu olhar, a sua audição, seu tato, paladar e olfato para perceberem de modo acurado a realidade em volta e aquelas outras não acessíveis em seu cotidiano. (Duarte Jr., 2006, p. 26)

Esse autor se debruça sobre o conceito de *estesia* como faculdade de sentir, como sensibilidade geral que opõe à anestesia, ou seja, a negação do sensível ou a incapacidade de sentir. Hoje, com a vida moderna rumando para o sedentarismo, tanto do adulto quanto da criança, podemos presenciar características anestesiadas de comportamento.

Por meio da escuta do corpo, proponho a *estesia* do movimento no sentido amplo da experiência da criança. Especificarei, a seguir, os tópicos trabalhados em sala de aula com alguns exemplos de abordagens específicas para trabalhar cada tema corporal com o público infantil.

Presença: acordar o corpo por meio dos sentidos

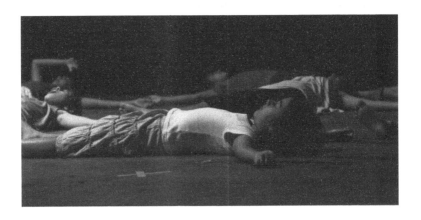

Nesta etapa, estimulamos a criança a reconhecer o próprio corpo, para que ela possa, a partir dos cinco sentidos especiais, desenvolver o sentido cinestésico. O despertar sensorial vai trazendo a criança para o estado de escuta do corpo e do aqui-agora, instaurando um corpo vivo, sensível e atento aos acontecimentos e às sensações.

O aluno é estimulado a reconhecer o próprio corpo e, consequentemente, a disponibilizar o corpo para lidar com o momento presente. A dinâmica da aula é um fator importante para que haja a presença do aluno em sala de aula com toda a gama de percepção. O despertar sensível vai trazendo a criança para o momento presente, para que ela perceba o que acontece com o seu corpo e à sua volta num estado de prontidão. A atenção de estar no aqui, no agora, no presente e acordado. Alerta!

As dinâmicas de prontidão são vastamente exploradas com o uso de passagem de bolas de uma criança para outra, com a exploração do espaço e do tempo e as diferentes formas grupais de ocupar esse espaço, além da percepção do ambiente como um todo. Ou seja, o interno e o entorno estão em diálogo direto e constante.

Articulações: reconhecimento e estudo do movimento parcial e total

Trabalhamos o isolamento e a independência das articulações por meio do estudo do movimento parcial e as possibilidades das articulações com o estudo do movimento total nos diferentes níveis do espaço: baixo, médio e alto. Por meio de improvisações, o vocabulário corporal da criança vai aumentando e os espaços articulares vão se ampliando. A dança da criança é estimulada a partir da aquisição da liberdade de movimento articular.

Trabalhamos a preservação dos espaços entre as vértebras da coluna vertebral, o que se reflete na postura como um todo. Trabalha-se a independência das partes do corpo a partir da soltura das articulações, por exemplo: a liberdade da articulação coxofemoral independente do movimento da bacia; a soltura da articulação escápulo-umeral independente do movimento dos ombros; a percepção da flexibilidade das articulações dos joelhos, tão importantes para o alinhamento postural, pois é

comum a hiperextensão dos joelhos comprometer a construção do eixo global, entre outros exemplos.

Estabelecem-se o reconhecimento das articulações e a exploração dirigida das possibilidades dos movimentos articulares em diferentes situações no espaço. Observam-se as diversas articulações utilizadas para mudar de posição, incluindo movimentos do cotidiano da criança, como sentar, deitar, levantar, andar, correr, agachar, pular etc.

Peso: a pesquisa do peso do corpo como impulso e como fluxo de movimento

A percepção do peso do próprio corpo evidencia a gradação do tônus muscular para determinadas nuanças de movimento. Utilizamos atividades em dupla com informações lúdicas específicas para sugerir uma qualidade de movimento com mínimo

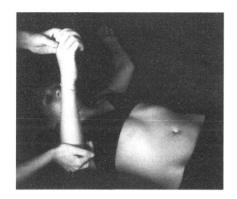

esforço, como boneca de pano e marionete, entre outras propostas que possibilitem entregar o peso do corpo ao chão para que, a partir daí, o movimento nasça em diálogo com a força da gravidade.

A percepção do peso de cada parte do corpo desperta a criança para os diferentes apoios no chão em variadas posições e em diferentes relações com a força da gravidade, tanto no nível baixo, no qual ela tem muito contato com o chão, quanto nos níveis médio e alto, em que as superfícies de apoio diminuem e a musculatura reage de forma diferente em relação à gravidade.

Usando o peso pode-se explorar, por exemplo, giros que partem do peso dos braços; soltura e molejo dos joelhos provenientes da percepção do peso da bacia; a soltura do peso do corpo em relação às bolas grandes e em relação à barra, estabelecendo um diálogo com a força da gravidade, entre outras possibilidades de exploração de impulso e de fluência do movimento.

Apoio: estudo dos pontos de apoio no chão

A percepção das características dos apoios do corpo sensibiliza a criança a usar o chão ativamente, empurrando ou pressionando-o durante o movimento, o apoio ativo. Realizamos atividades de percepção das diferentes qualidades de apoio, como: riscar com giz o contorno do corpo da criança no chão, pintar os três pontos de apoio dos pés, fazer dinâmicas variadas de equilíbrio etc.

Exploramos o uso do apoio ativo para preservar o comprimento da coluna vertebral, o que chamo de "antena ligada", quando estamos com os espaços articulares preservados e, ainda, atentos aos estímulos do ambiente como um todo, ao contrário do apoio passivo, quando não criamos uma relação com o chão

e as articulações podem perder seus espaços, comprometendo, consequentemente, o estado de atenção e prontidão corporal.

A percepção do chão é fundamental. A partir do apoio ativo, desenvolvemos variados jogos corporais, em dupla e em grupo, como "pula-sela", o jogo de peso e contrapeso para a criação de um eixo em comum com o parceiro.

Resistência: intensidade do tônus muscular

Na experiência da resistência, utilizamos a tensão dos músculos antagonistas em sinergia com os músculos agonistas, resultando num movimento de tensões opostas equilibradas e na percepção do volume e da tridimensionalidade do corpo.

As atividades propostas estimulam o uso do contato com bolas grandes para empurrar ou pressionar, no intuito de intensificar o tônus muscular, bem como o contato com o outro com exercícios em dupla, por exemplo: mão com mão, para perceber o controle da gradação do tônus ao pressionar o outro, empurrando e oferecendo resistência ao ser empurrado. São diversas as possibilidades de exploração de movimento, e cada qual estabelece um tônus muscular diferenciado, possibilitando variadas qualidades e intensidades de movimento.

Oposições: direções ósseas com ação organizada para dirigir o movimento

O uso das oposições cria espaços nas articulações e expansão do movimento por meio do jogo de forças em sentidos contrários, com direções ósseas opostas em partes diferentes do

corpo. As linhas de oposição do corpo são exploradas de maneira que se relacionem com as linhas desenhadas no espaço, criando, dessa forma, um jogo de improvisação do corpo em relação ao caminho do movimento no espaço.

Para o trabalho das oposições ósseas, utilizamos diversos objetos facilitadores, como grandes elásticos, tecidos de tamanhos variados, bolas médias e grandes, faixas coloridas e bastões, entre outros.

Eixo global: integração do corpo com a força da gravidade

A criança conscientiza-se de seu eixo, respeitando os espaços articulares dos joelhos, dos ombros, o comprimento da coluna vertebral, a colocação do crânio, o uso do apoio do olhar e toda a relação do corpo com o espaço. A postura adequada emerge da conscientização e da construção do eixo global. Todos os temas corporais aqui citados são trabalhados também com os adultos. A explanação aqui serve como roteiro de ação para esclarecer que o que é trabalhado em sala de aula é fruto de uma pesquisa maior que trata a criança

como soma, ou seja, em sua integridade. Os procedimentos expostos aqui revelam uma particularidade metodológica que emerge do meu percurso de dança construído em décadas de atuação no território das artes corporais.

> Não devemos esquecer que a forma com que o professor/dançarino sente e vivencia a dança, o modo como ele, no corpo, traz questões ou dá respostas às questões das crianças, seu jeito de observá-las, de entrar em comunicação com elas e estabelecer uma parceria, tudo isto é fundamental na transmissão da dança. A dificuldade dos professores reside, algumas vezes, no fato de que, ou, não tiveram, durante sua formação, vivência suficiente em improvisação, ou não conseguem desenvolver, a partir dos movimentos elementares propostos pelas crianças, as premissas da técnica. (Damásio, 2000, p. 243-4)

A criança necessita primordialmente do *olhar* do professor, do modo como ele se relaciona com o aluno, como aborda as propostas e faz suas observações. Com o nosso olhar e a nossa escuta, tocamos a criança e somos por ela tocados. É um diálogo. Tudo isso não deixa de ser um processo pedagógico[9] crítico e reflexivo, que propõe um caminho para a construção de um corpo cênico coerente com a nossa contemporaneidade.

‖

---

9. Para saber mais sobre o processo pedagógico com as crianças, veja os depoimentos das estagiárias no Apêndice deste livro.

4 Estado de dança

Deixar de ser para se deixar ser.
ARNALDO ANTUNES

O estado de dança abordado aqui remete ao corpo cênico que dança. Tal estado é gerado pelo praticante com base em estratégias e procedimentos variados e pode sofrer modificações conforme a rede de percepções do soma em sua ação cênica.

O pesquisador francês Hubert Godard (2002, p. 24) diz que os estados corporais se modificam, não só os dos bailarinos ao dançar como os dos espectadores na experiência de assisti-los. "O movimento do outro coloca em jogo a experiência de movimento, própria ao observador: a informação visual provoca no espectador uma experiência cinestésica (sensações internas dos movimentos de seu próprio corpo) imediata".

Neste capítulo, discorro sobre dança e criação tanto num processo grupal colaborativo, quanto num processo solo, que não deixa de ser colaborativo, pois envolve inúmeros criadores, cada qual com a sua via de criação e expressão.

Ao abordar o processo de criação por meio da técnica Klauss Vianna, vale ressaltar que se trata de processos criativos direcionados por mim. Dessa forma, coloco a criação sob a minha óptica a partir dos princípios dos Vianna, e não necessariamente sob a óptica de Klauss, de Angel, de Rainer Vianna ou dos outros pesquisadores da técnica Klauss Vianna.

Todas as estratégias de criação servem como reflexão sobre o estado de dança e os inúmeros processos variados para criar esse estado. Não será explicitado um processo específico como modelo, mas sim reflexões de processos em criação vivenciados pela autora com o objetivo de dialogar sobre dança e educação somática para a construção de um corpo cênico que dança. E, ainda, a fim de deixar claro que o corpo cênico em questão abarca tanto o bailarino quanto o ator.

OS SENTIDOS NA DANÇA: O MOVIMENTO COMO VETOR DE EMOÇÕES

O uso da palavra sentidos no plural é proposital, pois o corpo que dança permite o sensível com toda a sua gama de possibilidades de sensações e reverberações variadas de imagens e significados. Essas percepções são incorporadas pelo artista em criação e ação cênica por meio de suas vivências e experiências — como tatuagens em movimento revelando que o corpo é vestido de seus vestígios.

A criação cênica é um processo colaborativo na medida em que há participação criativa de todos os integrantes envolvidos e a contaminação é uma premissa, já que reúne diversos pesquisadores-criadores com variadas abordagens de atuação. Contamos com a colaboração criativa do idealizador (a con-

mento". Haveria inúmeros outros exemplos que eu poderia citar como experiência de trabalho com artistas e estudantes do teatro que patinam nessa questão.

Outra observação que aparece nesses momentos de conflito em torno de supostas fronteiras é a de que aquele processo de criação "não é uma coreografia, é uma partitura". A partitura é em geral conhecida como disposição gráfica de uma peça musical. Em alguns casos, o teatro e a dança fazem uso desse termo quando querem trabalhar com uma estrutura de movimentos ou de ações cênicas específicas formatadas. Coreografia é a arte de dançar. Quando a partitura se transforma em coreografia? A meu ver, a prevalência do termo partitura na coreografia poderia ser mais uma estratégia para justificar a não dança ou uma tentativa de escapar dessa zona conflituosa de fronteiras pré-fabricadas. Entretanto, de qualquer forma, não quero me prender em palavras, pois respeito as preferências e singularidades de expressão de cada artista.

Quanto ao uso das palavras, temos ainda os artistas da dança que preferem se denominar dançarinos e não bailarinos, por achar que os últimos remetem apenas ao balé clássico. Eu, particularmente, não vejo diferença alguma e, quando me situo como bailarina, é no sentido de bailar no palco e na sala de aula, mesmo sendo uma artista da dança contemporânea. Enfim, é natural que em determinados grupos haja nomenclaturas específicas, e não são essas especificidades que vão engessar uma reflexão mais aprofundada, portanto livre de preconceitos.

Todos nós devemos nos despojar do constrangimento de, ainda no século XXI, questionarmos o que é dança ou teatro, questão essa que persegue constantemente os artistas cênicos contemporâneos. Optamos, então, quase em silêncio, pelo que está entre essas duas linguagens, pois, como sugerem Deleuze e

QUAL É O CORPO QUE DANÇA?

cepção); do propositor, com suas provocações e estratégias de ação criativa (a criação); do iluminador; do cenógrafo; do figurinista, com a ação mediadora e não menos contaminadora de "vestir" as cenas; do fotógrafo, com sua ação de registrar tudo/ todos em imagens que, por sua vez, fazem que o pesquisador- -criador se veja e se perceba em ação; e da direção, cuja função é provocar e acolher ideias, impulsos e desejos de todos, com a responsabilidade de tecer com maestria a dramaturgia do espetáculo. A contaminação múltipla do trabalho é revelada pelos atuantes-dançantes (criação e interpretação), cuja presença constrói suas declarações cênicas.

É pelas ações de cada um dos colaboradores-criadores que passo a passo se confirma e se formata a ficha técnica do espetáculo, esclarecendo o que por vezes é comum acontecer em trabalhos colaborativos: as atuações criativas ficam um pouco borradas. Assim, por meio de um processo de criação grupal, o esclarecimento da ação criativa reformula-se numa nova função ou mesmo numa nova necessidade de olhar a cena espetacular contemporânea. As fronteiras tornam-se cada vez mais tênues entre o bailarino, o coreógrafo, o diretor, o *performer*, o ator-bailarino; por isso, chamo de "atuante-dançante" aquele que dança na cena, independentemente de ele ser artista da dança ou do teatro. O território comum dessa indeterminação de papéis e ações é o corpo cênico.

Durante o processo criativo, dialogamos, em diferentes situações, ora com o discurso da palavra, ora com o discurso do corpo, ora sobre a diferença entre teatro e dança, já que no processo é comum termos, além de artistas da dança, artistas do teatro "que dançam". Utilizo aspas aqui porque, quase sempre que o ator dança, ele mesmo se questiona e se contradiz: "Ma eu não sou da dança! Isso é dança? Não é bem dança, é mov

119

Guattari (1995, p. 37), nesse lugar *entre*, desmancha-se a lógica dual, aparecendo uma transversalidade que enlaça o que está em cada uma das margens:

> *Entre* as coisas não designa uma correlação localizável que vai de uma para outra reciprocamente, mas uma direção perpendicular, um movimento transversal que as carrega uma e outra, riacho sem início nem fim, que rói suas duas margens e adquire velocidade no meio.

O movimento transversal não é o de certezas, mas de interrogação. Indagações, reflexões e inquietações emergem do corpo em criação: questões desveladas no processo criativo de dança, no processo do corpo que dança, seja o do bailarino, do ator ou do artista cênico em geral. Perguntas que não buscam ser respondidas, mas sim vividas cenicamente, deixando-as vivas no ao vivo da cena.

O meu sopro contaminador no processo criativo do lado de cá do palco, quando estou em cena não na atuação ao vivo, mas como diretora, orientadora, preparadora corporal ou mesmo provocadora, visa acessar o corpo disponível do artista cênico para a criação da ação dançada, teatralizada, cantada e falada. Enfim, a ação poética.

Exploramos, nessa experiência do viés da dança, o corpo em movimento e ainda o corpo em relação ao espaço intencional, ao tempo e às sensações que o outro e os outros podem nos provocar e, consequentemente, a relação com todos os outros elementos da cena, numa colheita de vivências e momentos cênicos em constante escolha. É fundamental pensar a criação como um processo de escolhas, no sentido de seleção e digestão de tudo que foi e é experienciado. Tudo isso é importante no trabalho de improvisação em grupo.

Durante o processo dos laboratórios e vivências, trabalhamos diversos temas corporais e suas sensações e reverberações no tempo real da experiência, ou seja, a improvisação como desafio e como ferramenta para a construção cênica. Criar e jogar em grupo é perceber o momento da realização ou do funeral[10] dos seus desejos, regra básica da improvisação que na criação utilizo como constante relação grupal de ceder sem se excluir, de propor sem impor, de falar sem invadir, de escutar sem resistir. É um improviso, na experiência da cena e também na experiência intrínseca da vida.

A minha abordagem para a construção do corpo cênico contemporâneo é a investigação anatômico-estrutural, espacial, experimental e sensorial com enfoque no processo do movimento, e não no movimento como produto. A repetição acontece como nova possibilidade de experiência sem cair na armadilha da repetição mecânica. Como bem mostra o poeta Manoel de Barros (2000, p. 11): "Repetir, repetir — até ficar diferente".

Exploramos a repetição consciente e sensível com a desconstrução do habitual mover-se para a construção do instante dançante. O movimento aparece como vetor de emoções, não a emoção criada, narrada, interpretada e representada, mas a emoção como consequência das memórias e sensações que se instauram e instabilizam o corpo em moção.

É um *estado de dança*.

Sobre a repetição consciente e sensível na dança, Klauss Vianna (2005, p. 73) pontuou:

> Se o bailarino não se trabalha como ser humano, como pessoa, se não tem amadurecimento para enfrentar situações mais difíceis,

---

10. Termo utilizado pela improvisadora estadunidense Karen Nelson em seu curso de Contato, Improvisação e Composição, do qual participei como bailarina convidada. Sesc Consolação, São Paulo, 1998.

sua arte será deficitária. É assim também na aula: é preciso que eu vivencie muitas e muitas vezes um movimento. Não adianta entendê-lo, racionalizar cada gesto — é preciso repetir e repetir, porque é nessa repetição, consciente e sensível, que o gesto amadurece e passa a ser meu. A partir daí temos a capacidade de criar movimentos próprios e cheios de individualidade e beleza.

O que importa na repetição sensível é o percurso. A ideia de técnica como caminho e como processo de investigação explicitada nesse trabalho traz abertura para a exploração do ato de investigar novos trajetos. O mapa utilizado na cena é flexível, o que alude à ideia de mapa no pensamento rizomático de Deleuze e Guattari (1995, p. 22): "O mapa é aberto, é conectável em todas as suas dimensões, desmontável, reversível, suscetível de receber modificações constantemente. Ele pode ser rasgado, revertido, adaptar-se a montagens de qualquer natureza, ser preparado por um indivíduo, um grupo, uma formação social".

A ideia de um mapa flexível, no estado de dança, faz da ação cênica um acontecimento no qual estão incorporados o que é apreciado e o que é recusado. Está incorporada a mudança, o reversível. Afasta-se, pois, a noção de acertos e erros. O movimento pode ser entendido e sentido sem tradução, sem representação, sem interpretação, sem mediação, apenas como ação, como uma declaração da verdade do momento antes que se torne mentira novamente, de forma instantânea e espontânea. O sim que se transforma em não a cada passo cênico e o não que se transforma em sim a cada passo criativo. A crença na cena que sempre pode falhar. Acreditar... O crível que busca o incrível da cena espetacular.

A maneira abrangente como o corpo em cena e em criação vem sendo tratado no século atual explica a emergência de pesquisas e reflexões do corpo em ação espetacular. Pode-se considerar que as discussões sobre o corpo contemporâneo vêm criando o seu percurso há alguns anos, resultando na insistente pergunta: "Qual é o corpo da dança, do teatro ou da *performance*?"

> Nos últimos tempos, dúvidas em torno de possíveis fronteiras para o domínio da *performance* vêm ocupando teóricos da arte. Desde que a dança, o teatro, o circo e as visuais passaram a se perguntar sobre o modo de representar os seus objetos (o que ficou conhecido como "crise da representação"), todos, movidos pelas mesmas questões, tenderam a se aproximar. O que parece diferenciá-los é justamente o entendimento de corpo de cada qual. (Katz, 2007)

Os artistas cênicos, principalmente atores e bailarinos, patinam em torno de possíveis fronteiras entre dança, teatro e *performance*, discussões que alimentam, inclusive, pesquisas acadêmicas. Todos são movidos pela mesma angústia criativa, que resultou num olhar para o outro — não no sentido de suprir carências de cada área, mas sobretudo de construir diálogos que convergem na corporeidade construída pelo percurso de cada corpo, seja da dança, do teatro ou da *performance*.

As divergências que podem aparecer pelo pensamento de corpo de cada área fortalecem a pesquisa cênica contemporânea, que parece convergir esses campos num momento de, além de romper fronteiras, aproximar de forma a acolher diferenças, resultando no acúmulo de energia e de material para a construção do corpo cênico contemporâneo.

O corpo artista está na busca constante do território em arte, mas em que território esse artista pisa diariamente? O corpo é um dos ingredientes da cena, mas como lidar com todos os outros ingredientes da cena espetacular? São escolhas. A criação é escolha, seleção, há nela também a necessidade do funeral de desejos, não é possível abarcar tudo.

Acredito que o corpo híbrido, neste século, acomodou algumas discussões e reflexões de pesquisadores do movimento, como se tudo justificasse o corpo composto de elementos diversos. O corpo ficou como uma grande boca aberta recebendo e experimentando tudo, mas a digestão acontece? O corpo híbrido deve emergir de um corpo em fruição e digestão, preparado para entrar em ação coletiva, em ação interdisciplinar artística, ou melhor, em ação transdisciplinar artística.

Por meio da transdisciplinaridade do corpo cênico, a pesquisa fundamentada na técnica Klauss Vianna pretende não só despertar o corpo sensível e criativo, mas estabelecer procedimentos de trabalho que, diariamente, provocam e constroem o corpo que dança a partir do movimento como vetor de emoções. Como esse corpo/soma se encaminha para a cena e que produto ele vincula como escolha estética não deixa de ser, portanto, consequência de uma pesquisa *em* arte do corpo artista em estado de dança.

UMA PESQUISA *EM* ARTE

Nós, artistas-pesquisadores-professores, estamos no contínuo processo de criar e dissertar sobre o que criamos, bem como no processo didático de ensinar o que acreditamos saber. Essa tarefa não é simples, portanto merece ser olhada com acuidade.

No universo acadêmico, diversos artistas-professores trazem inúmeras questões presentes no cotidiano do artista-pesquisador em seu processo. A pesquisadora Sandra Rey

(2002) provoca reflexões sobre o fazer artístico no mundo acadêmico com um olhar para o trânsito ininterrupto entre prática e teorização. A pesquisadora é artista plástica, portanto, consigna realidades do universo das artes visuais, mas mesmo assim suas ideias contribuem para gerar reflexões coerentes à pesquisa do artista cênico. Um ponto importante a ser relacionado com a investigação cênica é a diferenciação entre duas formas de pesquisa:

> Em nosso programa de pós-graduação estabelecemos a diferença entre as duas formas de pesquisa, nomeando pesquisa em arte aquela realizada pelo artista-pesquisador a partir do processo de instauração de seu trabalho, e pesquisa sobre arte a realizada por teóricos, críticos e historiadores, tomando como objeto de estudo a obra de arte, para realizar análises pontuais, estudos históricos, meios de circulação, inserção etc. (Rey, 2002, p. 125)

Essa diferenciação é de grande valia no contexto acadêmico, já que fazer arte na academia acaba sendo um campo de batalha para os próprios artistas que, contraditoriamente ou não, escolheram estar na universidade e se propuseram a dialogar com outros saberes e aprofundar a própria pesquisa *em* arte, acreditando ser um terreno fértil para o desenvolvimento e a verticalização da pesquisa do seu fazer artístico.

Enquanto isso, presenciamos pesquisadores sobre arte discorrerem suas proposições com contribuições favoráveis à construção de reflexões sobre arte. Mas é importante deixar claro que a via é outra. O pesquisador sobre arte aborda o que a arte tem a dizer e até mesmo para quem ela diz com todas as suas ressonâncias, ao passo que o artista-pesquisador *em* arte estabelece uma relação direta com o objeto de pesquisa, que é ele próprio em sua expressão artística. Portanto, o processo é o resultado de sua pesquisa acadêmica, ao passo que a obra criada não deixa de ser o produto de sua pesquisa *em* arte.

Segundo as contribuições de Rey (2002, p. 139), na abordagem metodológica da pesquisa *em* arte, um trabalho de mestrado ou doutorado está intrincado com a criação: "Não podemos deixar de considerar que a dissertação ou a tese é a reflexão resultante de um trabalho de criação". O processo criativo acontece em duas instâncias: na prática corporal na sala de ensaio e na prática da escrita, na elaboração do texto. Aqui convergimos as diversas ações do artista-pesquisador-acadêmico sem hierarquia de valores. Podemos tratar a prática da escrita e a escrita da prática como uma via de mão dupla.

É recomendável para o pesquisador *em* arte estabelecer em qual território ele se encontra para potencializar os momentos oportunos de sua pesquisa. Muitas vezes, a criação artística acontece concomitantemente à criação escrita ou sequencialmente a ela — primeiro o trabalho prático e então a redação do texto, ou até mesmo ao contrário. Enfim, regras não existem, mas algumas estratégias podem aliviar o caminho criativo acadêmico que, às vezes, se torna angustiante-paralisante em vez de angustiante-problematizante, situação esta favorável à ação criativa.

Strazzacappa e Morandi (2006, p. 36) compartilham de uma reflexão sobre a arte na universidade alijando a hierarquia entre arte e ciência:

> Arte e ciência devem estar no mesmo patamar. Não acreditamos numa hierarquia entre ciência e arte, nem defendemos o discurso *naïf* de alguns de que a pesquisa em arte pode se enquadrar nos padrões da pesquisa científica. Pelo contrário, que-

remos apontar os benefícios da existência da arte no ambiente acadêmico pela perspectiva de que as ciências precisam da arte quanto (ou mais do que) a arte precisa das ciências.

Partindo dessa premissa de não hierarquização entre arte e ciência, o pesquisador *em* arte livra-se de uma suposta necessidade de enquadrar-se em um uso forçado e pressionado de conceitos científicos que muitas vezes não alimentam o seu fazer artístico. Ele pode, portanto, construir os saberes sensíveis da arte com a singularidade de seu olhar. "A linguagem alimenta-se da subjetividade e da vivência do artista [...]. Já os conceitos emergem então, dos procedimentos, da maneira de trabalhar" (Rey, 2002, p. 128).

Incluo aqui um depoimento escrito por mim, em meu caderno de criação, durante o meu processo de pesquisa *em* arte:

> Ao longo dos anos, fui aprendendo a abrir minha percepção e minha recepção a tudo que me chame a atenção e possa contribuir para o processo de criação, como músicas, textos, luminosidades, cenas cotidianas e relações. Pude perceber, sobretudo, a importância de me situar em meio ao processo, localizando o que sinto e de que forma tal aspecto me impressiona. [...] Às vezes, depois do aquecimento, antes de iniciar os ensaios práticos, acabo escrevendo em vez de ensaiar. A escrita passou a fazer parte do processo criativo.

Sem querer ser redundante (mas talvez relutante), essas palavras servem para justificar a contribuição da vivência prática como alimento e mola propulsora para o texto dissertativo reflexivo, permitindo me assumir e reconhecer como pesquisadora *em* arte dentro de um contexto que, às vezes, insiste em negar a própria arte — como se o artista não pudesse ser ele mesmo investigador, um produtor de saberes, mas estivesse sempre fadado a ser um reprodutor de conhecimento produzido por outro, um pesquisador *sobre* arte.

Trata-se de se dar a chance de pensar junto, pensar também, numa constante postura de investigação e interação: "Tudo no corpo, na vida, na arte, é uma troca" (Vianna, 2005, p. 78). Portanto, as vozes se fortalecem à medida que elas se ouvem no grupo de artistas pensantes em ação investigativa, numa troca constante de vivências, saberes e experiências *em* arte.

Falar de dança, para mim, sempre é mais agradável a partir da pele e do bailar dos pés, e não somente a partir do bailar das palavras, ou seja, estar com os pés descalços, tocando o chão de madeira da sala de aula e do palco, fruindo a dança ao mesmo tempo que se reflete sobre ela. Esta obra poderia ter sido desenvolvida apenas com os pés vestidos pelos sapatos, com os ísquios apoiados numa cadeira e os cotovelos apoiados nos braços dessa mesma cadeira. Qual seria a diferença?

A diferença principal é que o corpo reflexivo sentido estaria numa hierarquia desprivilegiada diante do corpo reflexivo analítico teorizado. A prática e a teoria não têm diferença, mas a teorização em dança presente numa pesquisa *sobre* arte pode diferir da prática em dança presente numa pesquisa *em* arte.

A defesa de meu doutorado em Artes na Unicamp (me) exigiu a apresentação de um espetáculo e a explanação dissertativa da tese. Digo "(me) exigiu" porque se trata de uma exigência pessoal e interna, já que a apresentação coreográfica é opcional. Por um lado, a opção pela apresentação de dança resulta no trabalho dobrado de me dedicar ao aprofundamento tanto do texto dissertativo quanto do texto dançado, mas, por outro lado, decorre de uma necessidade consequente da pesquisa *em* arte. "O artista tem que manipular dois sistemas de pensamento distintos, que resultam em duas produções distintas" (Cattani, 2002, p. 41). Portanto, o texto dissertativo não deixa de ser o vestígio do texto dançado e vice-versa.

A pesquisa aqui presente está imantada pelas minhas memórias, já que reflete o meu fazer artístico e didático ao longo de duas décadas. Os estudos são aprofundados como uma necessidade de diálogo e também por identificação com outros olhares e abordagens, mais do que por anseio de explicações e teorização. "Como analisar lucidamente, objetivamente, fenômenos em processo, que se confundem com nossas próprias vivências?" (Cattani, 2002, p. 45).

A clareza e o rigor que o artista da dança deve exercitar se colocando, também, em território acadêmico pode fortalecer a memória da dança contemporânea, ou melhor, a história que vem sendo contada, há décadas, em corpos dançantes em criação.

> A pesquisa em arte e a pesquisa sobre arte necessitam de parâmetros científicos e metodológicos que as norteiem, sobretudo no âmbito da universidade. Mas esses parâmetros estruturam a reflexão, sem tirar seus componentes básicos de paixão, prazer e criação. Pelo contrário, lidar com o arcabouço metodológico poderá permitir que a invenção e a fruição convivam com a clareza e o rigor, necessários à produção e à transmissão de conhecimento. (Cattani, 2002, p. 49)

Além do olhar de encantamento que podemos ter perante as obras artísticas, o que deve prevalecer numa pesquisa *em* arte é o esclarecimento do próprio trabalho, e, mais do que responder perguntas, evidenciar a necessidade de preservar a pesquisa em oposição à mitificação, o que pode resultar num estudo superficial e sujeito a equívocos.

Da mesma forma, acredito preservar a trajetória da família Vianna por meio de estudos com informações de aprofundamento sobre essa pesquisa brasileira. Torna-se urgente, a meu ver, a necessidade de esclarecimentos das pesquisas de diversos artistas que depois, consequentemente, acabam se teorizando. "Dizemos teorização, e não teoria, porque esta última está presente a todo instante. Não acreditamos na dicotomia teoria/prática, como defendem alguns pensadores. A teoria e a prática caminham lado a lado e alimentam-se mutuamente" (Strazzacappa, 2009, p. 314).

O território acadêmico pode ser um campo fértil para aprofundar trabalhos que por muitos anos são colocados em prática por várias gerações de bailarinos e pesquisadores e podem, posteriormente, ser teorizados no intuito de decupar o trabalho e verticalizar o olhar do pesquisador *em* arte.

Uma pesquisa *em* arte pode apontar caminhos trilhados que constroem diversos outros caminhos a ser trilhados e se cruzam com mais outros, numa rede de relações e criações. Enredada nesses entrelaçamentos entre perspectivas teóricas e práticas, a seguir teço em palavras pensantes um processo de criação em dança.

A LABILIDADE DA COREOGRAFIA

Falar de processo criativo é tocar na complexidade da criação. O processo criador revela-se como uma rede de relações constantemente em movimento, são ações de transformações interligadas na continuidade do fazer artístico.

A pesquisadora Cecília Salles (2009) apresenta diferentes ângulos de observação do processo criador a fim de ampliar sua compreensão e, até mesmo, para constatar sua abrangência de ações. A autora analisa o processo criador de cinco perspectivas: como ação transformadora, movimento tradutório, processo de conhecimento, construção de verdades artísticas e percurso de experimentação.

Interessa aqui focar em especial um dos aspectos ressaltados por Salles: a perspectiva da "ação transformadora" de um processo criador, que evidencia a originalidade da obra a partir da unicidade do artista em sua atitude de transformar e selecionar as infinitas possibilidades de criação. O ato criador está em permanente transformação poética para a elaboração e a criação artísticas. Esta não é isolada, sendo tecida por fios interligados, e a ação transformadora mostra o modo como um fio ou acontecimento é atado a outro.

Salles (2009) aponta dois momentos transformadores especiais ao longo do processo criador: a percepção artística e a seleção de recursos artísticos. A percepção artística é a lente original que o artista tem diante dos fatos vivenciados em seu percurso criador, é um dos momentos em que se percebem ações transformadoras. "No instante em que apreendemos qualquer fenômeno, já o interpretamos e naquele mesmo instante vivenciamos uma determinada representação" (p. 93).

A percepção artística, portanto, caracteriza-se por um movimento conferido pela unicidade do olhar, chega sob a forma de uma sensação, que já carrega a individualidade de cada artista ímpar. A criação requer, ainda, uma seleção de recursos artísticos, ou seja, determinados elementos que são recombinados e transformados de modo inovador em consequência de um olhar transformador.

Sob esse prisma, o que está sempre presente são os olhares seletivos do artista, portanto a percepção não deixa de ser seletiva, assim como a ação transformadora já está em processo seletivo mediado pela unicidade do olhar do artista a partir de suas escolhas, inclusive a escolha dos procedimentos técnicos e seus recursos criativos.

> Os recursos criativos nos colocam no campo da técnica, estando a opção por este ou aquele procedimento técnico ligada à necessidade do artista naquela obra e suas preferências. Estes procedimentos estão diretamente relacionados aos princípios gerais que regem o fazer daquele artista. Estamos, portanto, no ambiente propício para as singularidades aflorarem. É por meio dos recursos criativos que o projeto poético se concretiza e se manifesta. (Salles, 2009, p. 111)

Dessa forma, inferimos que a técnica pode ser comum a muitos, mas o uso de determinado recurso a partir daquela mesma técnica é singular. Com base nessa reflexão, meu trabalho encontra-se no território técnico dos princípios dos Vianna, mas com a minha singularidade de recorrer a determinadas estratégias específicas de criação.

O processo criativo em dança é abordado neste livro na perspectiva da labilidade da coreografia e de sua implicação na pesquisa do corpo dançante ao vivo. Meu enfoque criativo está no uso dos temas corporais que o próprio corpo estrutural pode oferecer como âncora da criação e recriação da cena dançada para abordar a elaboração e a montagem coreográfica em dança contemporânea. O objetivo é tornar permeável o ensinamento técnico em sala de aula para que ele vigore em um trabalho estético, ancorado na ideia de indivisibilidade do organismo humano, o soma.

O processo de investigação do corpo em arte é vivenciado em minha prática diária como bailarina, coreógrafa e professora. Partindo dessa vivência, analiso não somente as etapas pesquisadas em sala de aula, mas como elas se encaminham e se direcionam para a formação técnica e criativa do corpo que dança a fim de proporcionar a labilidade da coreografia e um estado de dança. O processo criativo em dança é aprofundado nessa perspectiva da labilidade da coreografia e em sua implicação na pesquisa do corpo dançante ao vivo.

O objetivo, aqui, é investigar a labilidade da coreografia a partir da técnica Klauss Vianna que trabalha com a improvisação não somente como processo de criação, mas como linguagem cênica e também como percurso técnico-investigativo no dia a dia do processo prático da sala de trabalho. A atenção está na construção do movimento no corpo. O que acontece no chão de madeira de sala de aula pode acontecer no chão de madeira do palco, que por sua vez alimenta o que acontece em sala de aula.

Investigar a construção coreográfica com base nos princípios dos Vianna se faz presente no meu percurso como coreógrafa desde o início da década de 1990. Mesmo que o meu processo de criação e montagem coreográfica não tenha sido trilhado sob orientação de Klauss ou Rainer Vianna, já que trabalhávamos o tempo todo com a improvisação, fui estabelecendo em minha pesquisa relações de criação coreográfica a partir dos temas corporais, e não somente como uso da improvisação.

A pesquisa se estabelece na relação de prontidão que a improvisação proporciona à coreografia sem que haja a cristalização ou a mecanização do movimento. Acredito que a coreografia pode ser lábil, imprevisível e transitória, mesmo dentro de uma estrutura previamente definida, pois ela é constantemente reatualizada, tanto nas apresentações ao vivo quanto no momento presente da experiência em sala de trabalho.

O enfoque é considerar o corpo em relação no processo de montagem coreográfica e durante a vivência em sala de aula, numa atitude de atenção com inúmeras variáveis de leitura: a atenção ao próprio corpo, à construção do movimento no corpo, ao corpo em relação ao espaço, ao corpo em relação ao outro e ao grupo, numa relação de interdependência.

O corpo próprio e em relação — ao grupo e ao espaço da cena — é fruto da escuta do corpo experienciado na vivência do momento presente. Trata-se de um olhar para dentro, para que o movimento se exteriorize com sua individualidade, traçando um caminho de dentro para fora, em sintonia com o de fora para dentro e com o de dentro para dentro, criando, assim, uma rede de percepções. Essa percepção do corpo próprio e do corpo em relação contribui para que aquele que dança use-o conscientemente como expressão e comunicação cênico-coreográfica.

O corpo em atitude atenta forma-se por meio do que nele se transforma constantemente, pois há nessa presença da atenção um jogo interativo que potencializa a pesquisa, a investigação, ou, como bem afirma Neide Neves, a apropriação consciente dos conteúdos da aprendizagem:

> A atitude de atenção ao próprio corpo, ao mesmo tempo que ao espaço e às pessoas, altera nitidamente o tônus muscular, trazendo a qualidade de presença e prontidão para o corpo e os movimentos e a percepção dos estados corporais. Da mesma forma, a atenção coloca a pessoa no momento presente, favorecendo a troca consciente com o ambiente. É possível concluir, então, que a atenção, garantindo a apropriação consciente dos conteúdos da aprendizagem e a abertura para os estímulos atuais, é responsável

por uma grande parte da eficácia do funcionamento e da atuação do ser humano no mundo. (Neves, 2008, p. 84)

Essa atenção vivenciada de forma consciente confere à dança um estado de presença favorável ao improviso. Neste livro, o improviso é utilizado não somente como um meio investigativo de criar coreografias, mas também como uma estratégia de não cristalizar a coreografia já criada, para acessar o corpo lábil no tempo presente da cena ao vivo.

A improvisação trabalha com momentos, que são instantaneamente processados enquanto vivência com a acuidade de reconhecer os momentos (em) criação, ou seja, aqueles instantes que devem ser revisitados e afirmados porque dizem algo. Se houver repetição de movimentos/momentos, ela será trabalhada não no sentido de reprodução de algo que passou e deve ser resgatado, mas como algo vivenciado que pode ser verticalizado como rede de percepções, no fluxo criativo do sensível para o dizível. A repetição, quando acontece, é sensível, e não mecânica.

Além da escuta do corpo em cena, nesse processo é desenvolvida uma atualização que gera uma espécie de autorreciclagem do espetáculo como um todo, que não se caracteriza pela negação da estrutura coreográfica já criada, mas por uma instabilização criativa que se reorganiza à medida que se experiencia a ação criativa. Dessa forma, as apresentações e os ensaios não servem como treinamento do corpo hábil da coreografia a ser reproduzida habilidosamente repetidas vezes, mas como experiência do corpo lábil que dança a partir de sua corporalidade.

A labilidade da coreografia remete então a uma instância líquida, mutável — e não enrijecida ou fixada — do estado de dança:

> Sentimentos e emoções, hormônios, corpos e consciência, todos mudam de forma e falam muitas línguas. As formas se cristalizam e liquefazem. Nenhuma se fixa concretamente; alguns processos são como gelo ou osso e outros, mais fluidos. A vida líquida pode ser identificada na linguagem da função, no fluxo do pensamento, nas marés do sentimento, nas ondas da intuição, nas profundidades oceânicas dos sentimentos, no crescente e no minguante das imagens. (Keleman, 1992, p. 71)

A busca criativa aqui é construir uma organicidade do corpo que dança e ainda estabelecer a relação de todos os elementos constitutivos da ação cênica que podem gerar a organicidade da cena como um todo. Os tópicos trabalhados em aula, como temas corporais para a criação coreográfica, servem de estímulo técnico-estrutural para posteriormente se relacionar com os outros estímulos, como música, texto, luz, figurino, objeto, ambiente etc., resultando em um encadeamento de relações e sensações. Na realidade, estamos o tempo todo contaminados pelo exterior e tornamos essa percepção consciente como instrumento de trabalho. O objetivo é não se distanciar do momento presente na sala para não se distanciar do próprio corpo. O criador-intérprete torna-se, portanto, o guardião de sua cena.

Com base no procedimento reflexivo de registrar impressões em um caderno de criação, no qual anoto, por exemplo, reflexões sobre a prática e toda e qualquer ideia que me vier durante ela, a escrita passou a fazer parte do processo prático criativo.

> Não movimento. Movimento lento. O movimento da escrita. O contato dos meus dedos com a caneta e da caneta com os meus dedos. A minha respiração me descansa e me deixa sempre, eu a busco sempre. Os meus ossos me sinalizam a minha presen-

ça nesta cadeira que tem cotovelos, mas que quase não tem pés. O contato das mãos no papel é confortável, o papel de seda liso, branco, escorregadio, que me espera a cada palavra, a cada letra, a cada desenho de letras, a cada pensamento que vai, volta e fica no sobe e desce da caneta que se faz e constrói a palavra.
Lavrar as ideias. O lavrador de imagens.
O lavrador de sensações do corpo que pensa.
Pausa. Expira. Acabou? (16 mar. 2007)

Uso essa anotação como exemplo porque ela se caracteriza por um processo somático de se perceber na ação escrita, semelhante ao ato de se perceber enquanto se dança. O bailarino torna-se espectador da própria dança no momento dançado, na labilidade da coreografia; e é também espectador no momento em que toma uma postura investigativa pela mão que dança letras no papel, fazendo da arte fonte de pesquisa.

Nesta proposta de pesquisa *em* arte, o campo de investigação e criação é, em primeiro lugar, o corpo próprio embasado no estudo do movimento consciente. Utilizo a imagem apenas como consequência das sensações que emergem dos movimentos experienciados. A imagem mental metaforicamente imposta antes não é utilizada no treinamento de sala de aula nem no processo criativo. Portanto, o uso da imagem, em minha experiência como bailarina-criadora, traduz-se como consequência de sensações do corpo em movimento, ou melhor, da imagem que o movimento pode ou não construir. A escolha de não utilizar imagens preestabelecidas indica o cuidado de não deslizar na armadilha de formalizar uma ideia pela imagem almejada e reconstruída ou, muitas vezes, representada e imposta.

O foco desta obra é a investigação da prática corporal para a construção de um corpo cênico. Trata-se da pesquisa de imagens que o movimento pode construir em estado de dança. Não se coloca anteriormente à criação um tema narrativo a ser representado, explicitado e dançado, mas se inicia a criação com temas corporais que são selecionados e explorados como gatilho de sensações no corpo e, por meio dessa corporeidade, cria-se um conceito posteriormente dançado.

O corpo em criação é, portanto, reatualizado constantemente pela utilização dos temas corporais que mapeiam a cena, para amplificar os percursos expressivos de movimentos. Os temas corporais são alguns dos procedimentos utilizados em sala de aula, entre os quais podemos citar o uso dos direcionamentos ósseos, dos vetores, para o acesso de imagens e informações que emergem no movimento, alavancando o diálogo constante do corpo com o instante cênico.

O não uso da pré-imagem, ou seja, de uma imagem ou uma narrativa *a priori*, e sim da pós-imagem, *a posteriori*, pode propor rupturas nas relações do mundo da cena e tem um percurso de singularização e caminho próprio no campo da investigação do corpo e do movimento. A pesquisa corporal para a construção do corpo cênico transforma-se em identidade cênica, já que o percurso é singular e partiu do corpo próprio. O dançarino não se preocupa em narrar ou escrever em movimentos os pensamentos imagéticos, mas sim em dançar os sentimentos, que podem reverberar em imagens tanto para quem dança quanto para quem assiste essa dança. O universo da montagem criativa é embasado e contaminado pelo drama da fronteira entre o dizível e o indizível. Parafraseando Clarice Lispector (1973, p.10): "E se tenho aqui que usar-te palavras, elas têm que fazer um sentido quase que só corpóreo".

Com essa pesquisa, permito-me a vivência do sentido próprio do verbo investigar, ou seja, indagar, pesquisar, inquirir, descobrir, achar, seguir os vestígios do corpo que possam permitir a criação, não excluindo, mas acolhendo a experiência do indivíduo criador em sua transformação. A técnica Klauss Vianna direciona para esse jogo de experimentação:

> O fato de se conservar a atitude de atenção aos movimentos, que se provoca conscientemente pelas alterações na estrutura corporal, permite a percepção das mudanças de estado constantes — frutos da memória, do pensamento, da emoção — que ocorrem consequentemente, sem que sejam buscadas diretamente e que vão alimentar o movimento. Este jogo é a base da experimentação proposta por Klauss.
>
> Apesar desse modo de funcionar estar presente no nosso cotidiano, não precisando de estímulos específicos para que aconteça, o que faz diferença na busca de Klauss é a proposta de usar conscientemente este mecanismo e aproveitá-lo como método de criação do movimento. (Neves, 2008, p. 82-3)

O que na rotina corporal é vivido inconscientemente torna-se uma percepção consciente à medida que se conserva uma atitude de atenção aos movimentos. A atenção ao próprio corpo instaura a percepção do tempo presente não apenas naquele que dança, mas naquele que assiste à dança. O pesquisador Hubert Godard (2002, p. 24) afirma:

> As modificações e as intensidades do espaço corporal do dançarino vão encontrar ressonância no corpo do espectador. O visível e o cinestésico, absolutamente indissociáveis, farão com que a produção de sentido no momento de um acontecimento visual não deixe intacto o estado do corpo do observador: o que vejo produz o que sinto e, reciprocamente, meu estado

corporal interfere, sem que eu me dê conta, na interpretação daquilo que vejo.

O corpo da dança abordado aqui é o corpo como paisagem, a paisagem que é construída a cada instante pelo bailarino e pelo espectador, ambos atuantes em sensações, ou seja, as intensidades corporais do bailarino que reverberarão no corpo do espectador. A coreografia é uma estrutura flexível ao momento presente, que é único, portanto a coreografia não deixa de ser uma construção do instante — do bailarino e do espectador — no momento dançado.

> Falamos tanto sobre o *sentido* e *significação da obra de arte*, que já não podemos ocultar a dúvida que nos assalta em princípio: será que a arte realmente *significa*? Talvez a arte nada *signifique* e não tenha nenhum *sentido*, pelo menos não como falamos aqui sobre sentido. Talvez ela seja como a natureza que simplesmente é e não "significa". Será que "significação" é necessariamente mais do que simples interpretação, que "imagina mais do que nela existe" por causa da necessidade de um intelecto faminto de sentido? (Jung, 1991, p. 66)

O corpo ao vivo pode dançar, atuar, desistir, duvidar, acreditar, e tudo fica impregnado no corpo latente que diz na cena viva construída artificialmente, ou seja, a criação idealizada, mitificada e corporificada pelo próprio artista. Ao ser questionada sobre criação, Pina Bausch (apud Fernandes, 2000, p. 13) responde que cada pessoa tem de descobrir isso por si só. Ela evita dar conselhos: "Cada um tem sua maneira de coreografar. Claro que é muito bonito ter uma riqueza variada de possibilidades, alguma coisa ligando as diferentes artes. Mas não sei dizer se é ou não a melhor forma, podem ser muitas coisas juntas em harmonia".

CLARIARCE: UM PROCESSO DE CRIAÇÃO

Nessa obra, busco abrir espaço para a criação da poética da dança contemporânea com foco no processo criativo vivenciado, e não apenas no resultado final espetacular, o que pode redimensionar questionamentos atuais sobre dramaturgia do movimento, dando primazia ao corpo presente em prontidão para a ação dançada.

A coreografia intitulada *Clariarce* é o produto do processo que representa o resultado dessa pesquisa. Esse solo é contaminado pelo drama da palavra proposto pela obra *Água viva* (1973), de Clarice Lispector, com as provocações de *Modernidade líquida* (2001), de Zygmunt Bauman, pontuando a linguagem escrita na posição de fronteira entre o dizível e o indizível. Trata-se da pesquisa da imagem construída pela palavra escrita que reverbera em imagens que o movimento pode construir e que a fotografia projetada pode revelar ou esconder na cena. Como diz Clarice (1973, p. 23): "Não quero ter a terrível limitação de quem vive apenas do que é passível de fazer sentido. Eu não: quero é uma verdade inventada".

Clariarce apropria-se livremente do universo de Clarice Lispector para desenhar um percurso de histórias e relações que são explicitadas na cadência da coreografia, num vaivém de sensações que se derramam numa fluidez poética e crítica em relação ao instante ao vivo.

> Mas o instante-já é um pirilampo que acende e apaga, acende e apaga. O presente é o instante em que a roda do automóvel em alta velocidade toca minimamente no chão. E parte da roda que ainda não tocou, tocará num imediato que absorve o instante presente e torna-o passado. Eu, viva e tremeluzente como

os instantes, acendo-me e me apago, acendo e apago. Só que aquilo que capto em mim tem, quando está sendo transposto em escrita, o desespero das palavras ocuparem mais instantes que um relance de olhar. Mais que um instante, quero o seu fluxo. (Lispector, 1973, p. 16)

Clariarce é, portanto, uma extensão da pesquisa realizada por mim na experiência de investigação na construção da poética do movimento tecida pela articulação entre dança, literatura e fotografia. Nessa proposta, variadas dinâmicas corporais se interceptam e se dinamizam num jogo que visa ao estabelecimento de conexões intertextuais: textos coreográficos, literários e fotográficos. O espetáculo amplia os limites da dança e dos padrões de corporalidade com a investigação de interfaces entre movimento, literatura e fotografia, procurando estabelecer diferentes relações entre o corpo, a palavra e a imagem fotográfica, evidenciando a ressonância dos sentidos na composição cênica.

A coreografia promove, dessa forma, o diálogo entre as linguagens fotográfica, literária e corporal da dança contemporânea como um processo de criação contínuo ancorado em uma estrutura coreográfica aberta e lábil, no sentido de transitória. Essa pesquisa cênica foi dirigida pelo ator e diretor ítalo--argentino Norberto Presta. Surgiram oportunidades, durante o processo, de diluir a insistente fronteira entre a dança e o teatro, já que se estabeleceu um diálogo entre uma bailarina e um ator/diretor. Esse diálogo se revelou no que Presta chamou de "dançação", ou seja, ações que provocam consequências e criam diferentes presenças em estado de dança.

Em *Clariarce* é enfatizada a possibilidade de mobilidade, flexibilidade e imprevisibilidade de uma estrutura coreográfica organizada que se instabiliza de acordo com a necessidade do corpo em relação. A busca criativa aqui, além de construir uma organicidade do corpo que dança, visa estabelecer a relação de todos os elementos constitutivos da ação cênica que podem gerar a organicidade da cena como um todo.

A dramaturgia constitui-se com base em estruturas móveis — combinações de discursos corporais, musicais, fotográficos e textuais — que, no conjunto, compõem a ação cênica. Os movimentos/momentos são ordenados de maneira livre e investigativa com o objetivo de proporcionar à coreografia um caráter flexível e transitório.

O solo de dança *Clariarce* busca habitar o corpo sensível que delicada ou vigorosamente escolhe vetores pelo corpo que potencializam o movimento pelo espaço, numa rede de percepções que geram fluxos de movimentos, projeções, memórias e evocações.

Na coreografia aqui proposta, o texto, o desenho de luz, as ações corporais e as fotos se estabelecem em relação aos temas que remetem ao efêmero, no sentido de passageiro, lábil e transitório, numa construção cênica que se caracteriza por uma estrutura dramatúrgica feita de inserções, interrupções, desestabilizações e colagens. A obra *Água viva*, de Clarice Lispector, é apresentada em diversas situações, num vaivém de sensações que são reveladas por meio de movimentos, luzes pinceladas e fotos projetadas no espaço cênico, no constante exercício da singularidade do instante.

Nesse solo de dança, *Clariarce* apresenta-se como uma metáfora crítica da vida instantânea de *Modernidade líquida*, que valoriza, mais que o instante/momento, o instantâneo/momentâneo, proporcionando-nos uma vida instantânea, com realização imediata. "'O 'curto prazo' substituiu o 'longo prazo' e fez da instantaneidade seu ideal último" (Bauman, 2001, p. 145). A modernidade líquida dissolve e desvaloriza a duração do tempo e promove uma superficialidade do momento presente na busca incessante do fugaz e de um tempo sem consequências.

O *líquido* de Clarice faz oposição ao *líquido* de Bauman. Para a primeira, o *líquido* apresenta-se em fluxo, como instantes que pingam, como uma realidade existencial e profunda. Para o segundo, o *líquido* apresenta-se em fluxo instantâneo, como uma realidade imediatista e superficial. Entretanto, o tempo é o mote de ambos os autores.

"Meu tema é o instante? Meu tema de vida. Procuro estar a par dele, divido-me milhares de vezes em tantas vezes quanto os instantes que decorrem, fragmentária que sou e precários os momentos — só me comprometo com vida que nasça com o tempo e com ele cresça: só no tempo há espaço para mim" (Lispector, 1973, p. 8-9).

Minha proposta de coreografia visa pesquisar diferentes possibilidades de percepção corporal, abrindo outros caminhos para processos criativos e reflexivos que permitem perceber novos padrões de movimento e suas dinâmicas no espaço e no tempo. Com base na exploração do corpo estrutural e anatômico, a coreografia pode emergir das escolhas de movimentos que são mapeados e relacionados com o processo da percepção do corpo em relação ao espaço, amplificando assim as transformações dos diversos momentos cênicos — não excluindo, mas acolhendo a experiência do indivíduo criador em sua transfor mação de estados corporais.

O estado de dança, portanto, se traduz na sua pluralidade e na sua labilidade.

Considerações finais

Isso de querer ser exatamente aquilo
que a gente é ainda vai nos levar além.

PAULO LEMINSKI

O título deste livro — *Qual é o corpo que dança?* — pode gerar outras perguntas, como: O que é dançar? Essa pergunta, por sua vez, pode nos levar a responder muitas outras, revelando não só o corpo que dança, mas ainda que dança é essa ou até mesmo como ela é. A pesquisa que originou esta obra não pretendeu fixar respostas, mas estabelecer conexões entre inúmeros fios de relações que se estabelecem na complexa trama do processo de dança e criação.

Aqui, assumo uma autoria singular, com voz própria, de algo múltiplo e plural e com tantas vozes ressonantes que é a escola Vianna. Em consequência, afirmo certos aspectos da dança e da educação somática como caminho para a construção de um corpo cênico, entre tantos outros existentes. Optei por conferir às discussões sobre dança e educação somática na cena contemporânea um caráter reflexivo, de olhar ampliado, pois não as quero fixar a uma metodologia específica como modelo para a construção de um corpo cênico.

Uma elaboração metodológica não deixa de ser um quebra-cabeça armado com peças de diferentes vivências em um enquadramento pessoal, cuja coerência decorre das experiências e memórias de cada um. Encontramos, assim, a singularidade de cada professor-pesquisador no modo como os seus procedimentos são concretizados a partir de suas ações e convicções, como num processo criativo em que se pode criar sua aula dançada por meio de inspirações, desejos e *insights*.

O processo criativo é um movimento de construção cênica que só acontece ao longo das vivências. Não está pronto *a priori*, depende do que ocorre em cada etapa. Pode-se pensar, assim, que a referência central desse processo é o corpo/soma. Conscientizar-se de que o corpo é um dos ingredientes da cena induz à pesquisa de como lidar com todos os outros ingredientes da cena espetacular. São escolhas, pois o tempo todo somos bombardeados por ideias que, para que se transformem em ações cênicas, dependem da existência de um processo seletivo que vai delineando um percurso criativo.

A criação é gerada e alimentada por escolhas, e aqui compartilhei algumas delas. Entretanto, os consensos e dissensos que naturalmente emergem criam oposições que, por sua vez, podem gerar outros movimentos criativos, além de ampliar a compreensão do conceito de dramaturgia, desfazendo as fronteiras entre a dança, o teatro e a *performance*.

Compreender a abordagem técnica do corpo como um processo de investigação não desvinculado da criação pode nos levar a inferir que um corpo cênico que dança pode ser construído, diariamente, em cada gesto criador dentro da complexidade do soma, com todas as possibilidade de relações, em permanente processo transformador.

Qual é o corpo que dança? Arrisco responder que todo indivíduo pode dançar quando se vê na sua dança por meio do seu querer e do seu sentir. O corpo que dança é o que se permite um estado de dança que é diferente para cada um, para cada soma. Logo, a dança não é algo externo, mas um estado que pode ser construído com procedimentos específicos quando se propõe ir para a cena. A dança também pode estar dentro do ser, como aquela praticada pela criança com tanta espontaneidade, a dança de todos os seres humanos, os somas que querem dançar.

Há dança onde se vê dança.

APÊNDICE: DEPOIMENTOS

Aqui reproduzo os depoimentos das estagiárias do Salão do Movimento. São alunas da Unicamp que realizaram estágio nas aulas dos grupos infantis entre os anos de 2008 e 2009. O estágio de assistência e docência é uma das obrigatoriedades para o cumprimento da disciplina AD — 072 Estágio II, do curso de graduação em Dança do Departamento de Artes Corporais da Unicamp.

Os depoimentos estão na íntegra para preservar a espontaneidade de cada estagiária e têm o objetivo de retratar como as aulas para o grupo infantil reverberaram no percurso dessas futuras professoras. Esses depoimentos podem contribuir para o entendimento do capítulo 3, "A técnica Klauss Vianna para crianças", pois oferece um olhar distanciado e diferenciado do olhar da própria autora sobre a sua metodologia.

‖ REFLEXÕES SOBRE O ESTÁGIO NO SALÃO DO MOVIMENTO ‖

Estagiária: Gabriela Gonçalves, 3.º ano
Conhecer e poder interagir com o trabalho da Jussara com o grupo infantil foi uma experiência única, enriquecedora e fundamental para minha formação como educadora do movimento. Há algum tempo eu procurava uma técnica de dança que possibilitasse de fato uma experiência do movimento de forma consciente, investigativa e criativa e, ao mesmo tempo, inserisse a criança na dança como linguagem artística. Fundamentada na Técnica Klauss Vianna, Jussara criou uma metodologia de ensino da dança para crianças que une todos esses fatores, o co-

nhecimento e a consciência das estruturas do corpo e do movimento, o incentivo frequente à criação, à pesquisa individual e coletiva de movimentos e à improvisação, por meio de jogos e dinâmicas construídos e apresentados de forma lúdica, na qual a criança tem prazer em dançar, mas sempre com a clareza do que está sendo trabalhado naquele momento. O resultado é impressionante! As crianças dominam a linguagem corporal, sabem o nome correto de ossos, articulações e músculos e não têm medo de investigar as suas variadas possibilidades de movimentação no espaço e no tempo; possuem noções de postura e alongamento, ampla liberdade na improvisação e na criação em dança e grande disponibilidade corporal para uma melhor compreensão de outras técnicas e estilos de dança que possam ser aprendidos por elas posteriormente, se assim desejarem. Sem contar a contribuição positiva da Técnica Klauss Vianna, que, ao valorizar a expressão individual, o respeito e a escuta do corpo, promove também a formação de indivíduos conscientes do seu modo de ser e estar no mundo como sujeitos ativos, participativos e transformadores.

Estagiária: Isis Andreatta, 4.º ano
O estágio no Salão do Movimento me instigou à prática de ensinar, fez-me acreditar que é possível desenvolver um processo educativo que fomente a dança como educação do sensível, como experiência de transformação e de conhecimento de si, de liberdade e de resistência aos processos enrijecedores de pensar e trabalhar o corpo. Reconheci uma educação pela e para a expressividade de cada um.

O trabalho com as crianças desenvolvido pela Jussara me mostrou que o professor tem uma responsabilidade grande nas mãos: a de promover, por meio da experiência do ensino, o desenvolvimento de um ser humano receptivo e capaz de se expor e de se colocar no mundo. Foi muito interessante notar que, durante as aulas infantis, o trabalho corporal acontecia junto com o incentivo à troca de ideias, aos questionamentos, à escuta do outro, à criatividade. Se eu escolhesse uma palavra que descrevesse o ambiente das aulas que vivenciei, essa palavra seria carinho ou cuidado. Cuidado não apenas com o conteúdo, mas principalmente na maneira de transmitir claramente cada proposta. Cuidado pela sensibilidade de perceber na aula o que está funcionando e o que precisa ser transformado. O carinho no momento de avaliar as dificuldades, ouvindo e percebendo no corpo das crianças os diferentes processos de compreensão de uma mesma atividade.

Ainda tenho muito que aprender sobre o ensino da dança e sua aplicação, mas considero estar nos fundamentos da Técnica Klauss Vianna um interessante caminho a ser seguido. Ter acompanhado o desenvolvimento das crianças desde o início do ano até a apresentação final me fez perceber até que ponto o universo infantil e a dança, por meio da educação, são territórios extremamente complementares que merecem ser tratados com atenção, com muito cuidado e carinho.

Estagiária: Isabela Razera, 3.º ano
Sobre as aulas observadas

Eu observava as aulas regulares da professora Jussara em duas turmas: uma de crianças de 5 a 9 anos e outra com crianças de 10 a 12 anos.

As duas aulas eram basicamente semelhantes. Começavam com o articular e sensibilização dos pés em uma roda, em que cada criança deveria falar uma palavra correspondente ao assunto previamente escolhido (por exemplo: se o assunto era articulações, as crianças poderiam dizer: joelho, cotovelo, tornozelo e assim por diante). Esse exercício estimulava todas as crianças a falarem para o grupo, até as mais tímidas. Isso fazia que um conhecesse o outro e, assim, eles iam criando laços com os colegas sentados na roda enquanto trabalhavam os pés, à medida que observavam o esqueleto em tamanho natural utilizado em sala de aula.

Em seguida, os alunos faziam uma pausa deitados no chão para perceberem o corpo e como estava o dia e o ambiente. Isso chamava a atenção deles para a aula, para o corpo e os acalmava depois de toda a euforia, no início da aula, de reencontrar os amigos. Após a pausa, iniciava-se o aquecimento das articulações: as crianças deveriam se movimentar entre os três níveis — alto médio e baixo — pensando em aquecer o corpo para a aula, movimentando todas as articulações.

Depois do aquecimento, a professora seguia com exercícios da aula que, em sua maioria, eram lúdicos e sempre envolviam brincadeiras. Alongamento da musculatura posterior das pernas, alinhamento das três esferas, alinhamento de joelhos e pés, espaços articulares e coluna eram pontos que sempre estavam presentes dentro das atividades, em todas as aulas.

No aquecimento e em momentos de improvisação durante a aula — quando a professora dava algum estímulo sonoro e pedia para os alunos o interpretarem no corpo pelo espaço —, a movimentação que surgia era totalmente livre e sem nenhum padrão preestabelecido. As crianças eram livres para explorar movimentos e passagens de que mais gostavam, ou que as desafiavam, sempre soltos pelo espaço e pelos níveis. Às vezes a professora dava algumas dicas de movimentos, como rolamentos, giros e saltos que eles estavam estudando em outros exercícios da aula.

QUAL É O CORPO QUE DANÇA?

Os alunos gostavam muito de improvisar. O aquecimento das articulações e outras propostas de movimentos livres eram os momentos em que eles ficavam mais eufóricos e realizados com a aula. Eles se davam muito bem com esse tipo de proposta de dança, sem inibições, e a professora sabia conduzir magistralmente esses momentos, sempre indicando e sugerindo caminhos para a movimentação.

Toda vez que a professora ia introduzir um novo assunto, ou algum aluno novo vinha experimentar a aula, ela pegava figuras em livros de anatomia ou um esqueleto representativo em tamanho natural para explicar e mostrar ossos, articulações e músculos. Fazia as crianças tocarem o esqueleto e depois tocar nelas próprias a estrutura sobre a qual estavam falando. Ela sempre utilizava os nomes corretos das estruturas, explicando o que eram e onde estavam localizados.

Todos os alunos eram livres para expressar sua opinião sobre atividades e criações coreográficas desenvolvidas pela professora, sendo que, às vezes, ela própria pedia a opinião deles em algumas passagens de movimentos, estabelecendo um senso de coletividade criativa.

Os alunos eram extremamente criativos e comunicativos. Em nenhum momento eles se incomodaram com a presença de estagiárias na sala. Vinham sempre bem dispostos para a aula e entravam em todas as propostas da professora, sempre conversando sobre dificuldades, facilidades e opiniões para modificar a atividade. A comunicabilidade entre professor e aluno é um ponto forte das aulas.

Sobre a professora

Jussara Miller é uma grande profissional do mundo da dança. Sua principal fonte de estudo é a pesquisa corporal deixada por Klauss Vianna, e, por meio dela e de outros conhecimentos de dança, estrutura suas aulas para crianças, adolescentes e adultos.

Gostei muito de acompanhar suas aulas por elas serem um espaço onde a dança acontece abertamente, sem proibições aos alunos. Eles eram livres para construir a própria movimentação, criando uma identidade única.

Com grande preocupação com o corpo, as aulas dela são totalmente voltadas para a consciência corporal, alertando seus alunos sobre encaixes ósseos, musculaturas e boas posições para articulações saudáveis, sempre de maneira lúdica. E também demonstra muito interesse pela improvisação, que utiliza constantemente como exercício criativo com seus alunos.

Acredito que a improvisação na sala de aula é muito boa para o desenvolvimento dos alunos, ainda mais como ela direciona as propostas, deixando clara a investigação corporal, espacial, musical, exploração de objetos; e não a busca por uma estética única e fechada.

Com as crianças, Jussara entrava no mundo delas e se jogava nas propostas. Tinha muito jogo de cintura para levar a aula adiante e lidar com as peraltices dos mais novos ou as "crises" dos mais velhos.

Como a aula era levada com muita conversa entre professor e aluno, seus alunos sempre sugeriam atividades que não estavam previstas para a aula, mas que eles gostavam de fazer. Algumas vezes ela atendia aos pedidos, valorizando a ideia e a levando para o contexto estudado. Mas quando era preciso mantinha o pulso firme e explicava que não dava naquele momento.

Jussara sabia mediar e impor limites às conversas, que também apareciam em horas inoportunas. Todos os alunos tinham um grande respeito por ela, que sabia lidar com todos eles.

Sempre fiquei admirada com o jeito direto da professora Jussara de pedir silêncio e de como os alunos a respeitavam.

Ela não tolerava a falta de atenção. Quando um aluno ficava conversando ou prestando atenção em outra coisa e não entrava na proposta da aula, ela parava e conversava diretamente com o aluno, perguntando se o problema era o exercício, se ele estava com alguma dificuldade, se precisava de mais explicações. Com essas perguntas, ela não era grosseira e, ao mesmo tempo, trazia-o de volta para a proposta de sala de aula. Depois da execução da atividade, Jussara elogiava o aluno e o congratulava por ter executado "tão lindamente a proposta".

Jussara conduz suas aulas com muita criatividade e responsabilidade. Sabe que está mexendo com o corpo das pessoas e que precisa ser muito profissional para isso. Tem muita confiança em seu trabalho e não teme ensinar nem passar o conhecimento adiante. Não segura as informações só para si e, assim, deixa aquele velho caráter de professor sabe-tudo para trás, estando sempre disposta a aprender e se desenvolver em conjunto com seus alunos de todas as idades.

Conclusões

Fazer o estágio no Salão do Movimento foi muito positivo e enriquecedor pelo fato de a filosofia do espaço se adequar ao que vivencio diariamente nos estudos na graduação em Dança. Vi de fato os conceitos aprendidos sendo aplicados na prática.

A professora Jussara foi uma ótima orientadora, se tornando amiga ao longo do semestre. Era muito aberta a novas ideias e pronta para ensinar e aprender. Conversávamos sobre as aulas e ela valorizava muito minha opinião, transmitindo-me confiança e segurança.

Todos os alunos que acompanhei durante meu estágio eram criativos, empolgados e presentes de corpo inteiro nas aulas. Não houve nenhum estranhamento com as estagiárias e criei laços de amizade com todas elas.

Durante esse semestre, os alunos me aceitaram como "a outra professora" e estiveram disponíveis para a exploração das propostas que eu tinha oportunidade de trazer para as aulas. Uma das coisas mais gratificantes foi ver o crescimento e desenvolvimento de cada aluno.

Jussara me ensinou caminhos valiosos para lidar com imprevistos dentro das aulas que eu observava. Ela estava preparada para lidar com seus alunos. Ela sempre tinha alguma proposta de reserva para estimular as aulas em que os alunos, às vezes, se mostravam desinteressados ou cansados. A ideia de sempre ter coisas novas para ensinar os deixava sempre animados e a turma não entediava nunca.

Com essas observações levantadas durante meu período de estágio, aprendi que quando se assume o papel de professor dentro de uma sala de aula — seja para crianças, adolescentes ou adultos — é necessário saber se colocar e ter iniciativa para conquistar o espaço e os alunos. Não se pode demonstrar insegurança: manter a calma e confiar em seu trabalho é a melhor estratégia.

Dar aulas para crianças exige uma energia muito maior do que para adultos, porque o imprevisível está sempre te acompanhando. Sem dúvida, o estágio no Salão do Movimento foi um grande facilitador para o meu aprendizado como futura professora de dança. Todas as minhas conclusões foram espelhadas no que vivi durante esse semestre ao lado de Jussara, com suas aulas e suas alunas, e as outras estagiárias, com quem pude trocar muitas ideias.

Vou levar boas lembranças e grandes aprendizados desse estágio com a certeza de que tenho ferramentas suficientes para assumir uma aula e desenvolvê-la de forma ativa e lúdica. Foi ótimo ter uma grande profissional ao meu lado para ensinar todos os caminhos do ensino da dança, além de estar dentro de um espaço que pensa o corpo de forma atual e consciente.

Estagiária: Jóice Freire, graduada em Educação Física
Da observação técnica à atitude didática

Meu olhar durante o estágio teve início com uma observação predominantemente técnica. A cada aula eu fazia anotações dos exercícios e atividades, até que o ritmo de aula fora incorporado e deixou de ter sentido o foco predominantemente técnico. No momento em que me dei conta disso, meu olhar se dilatou em direção à postura pedagógica da professora Jussara. Ao acolhimento dado às crianças, aos pais das crianças e às estagiárias. Um grande cuidado no exercício do papel de professora, para a clareza da informação transmitida, para tornar cada vez mais bem-vinda a espontaneidade.

Acompanhei as crianças da turma de quinta-feira, com idade entre 5 e 9 anos. Na primeira metade do semestre, havia só meninas, na segunda metade, alguns meninos. A chegada deles me chamou a atenção pelo fato de imprimirem uma energia diferenciada na sala de aula. Socos e chutes despendidos pelo espaço pareciam que a qualquer momento iriam golpear a graciosidade das meninas, com toda sua sinuosidade de movimento.

Dada essa mudança na dinâmica de aula, houve um dia especialmente marcante, em que a professora introduziu uma música que utilizou como aquecimento da aula. Com essa música ela lidou com a oposição entre o lento e o rápido, continuidade e descontinuidade. Mas, antes de utilizar essa música, a professora trabalhou com diferentes informações sonoras: tamborzinho, gongo, instrumento chinês, instrumento com som metálico etc. A instrução foi para deixar o som entrar no corpo e perceber que tipo de movimento ele pedia. Por meio dessa condução, as crianças chegaram ao máximo da agitação e ao máximo da suavidade do movimento.

Nessa atividade me encantei não só pela dança (mais uma vez), mas pela atitude da professora ao brincar com a desconstrução dos hábitos de movimento e pelo alcance que a dança tem na educação das sensibilidades. De brincar com disposições ora vigorosas, ora leves... Um jogo que brinca com qualidades de movimento que têm múltiplos sentidos (culturais, fisiológicos, psicológicos), o estado de fluxo, características do jogo da dança que permite transitar pelos múltiplos sentidos sem nomeá-los.

Essa exploração consciente possibilita requisitar esse caminho técnico apreendido no cotidiano. Fluxos do peso, amplitudes de movimento, intensidades variadas utilizadas de acordo com a história de cada um... De como cada um aprendeu o conforto com o próprio corpo... E por meio do estudo sensível, de quem só conhecia o vigor, abrir espaço para a sinuosidade do movimento.

Desconstrução da forma
Participar deste estágio foi continuidade de um processo de desconstrução. Da figura da professora, da autoridade, de efetivamente entender que a relação professor-aluno depende da troca, de uma escuta mútua e de uma disposição para a resposta. Uma escuta mútua na qual há uma relação de autoridade e não de autoritarismo. É um diálogo de centro para centro. Um esforço para aprimorar sua escuta e sua disposição para movi-

mentar a escuta dos seus alunos, a vida diluída pelos temas corporais ensina essa misteriosa conversa entre os centros de cada um.

Escuta e disposição que por vezes parecem tão distantes nas nossas relações cotidianas, quando nos relacionamos com os corpos no mercado, na escola, no banco. Corpos encravados no espaço onde vivem. O esforço do mestre é desencravar esses corpos para que a sua constância inflamatória gaste seu fogo num fluxo de ação, de disposição. Conhecendo a liberdade e a felicidade. Pode ser isso, não?

O que seriam a liberdade e a felicidade?

Técnica para a liberdade e a felicidade

Parece servir bem a ideia de liberdade dentro da observação técnica: liberdade de movimento, possibilidades de movimento, existência de espaço para ocorrer movimento. Se estiver preso, não movimenta. Esse gosto pela liberdade é desenvolvido a cada encontro, a expressão se faz em consequência do desenvolvimento de uma arte interna, que mantém os espaços articulares.

Ainda sobre o desenvolvimento do gosto, do gostar de fazer, uma situação vista numa aula infantil: uma criança de cerca de 6 anos chega atrasada à aula e perde a roda dos pés, pois já estão todos no aquecimento das articulações pelo espaço. Ela pede à professora: "Jussara, posso pegar no meu pé?"

A descoberta dessa vida em liberdade é uma constante pesquisa, uma dança constante. Percebe-se a cada relação e os frutos que colhemos no nosso corpo. A consciência do movimento como base da técnica Klauss Vianna está aí.

A "antena ligada", brincadeira que a Jussara utiliza com as crianças para ganhar espaço na coluna vertebral e despertar a prontidão para a relação, é um dos exemplos de suporte que a técnica Klauss Vianna constrói junto com pensamentos, sensações, emoções, bem como para suas expressões. Pouco a pouco, os recursos internos vão sendo descobertos, observam-se valores indizíveis transmitidos nessa conquista de espaço interno. De que há um valor prazeroso na manutenção desses espaços, mesmo que em muitos momentos haja certa relutância ao realizar alguns alongamentos. O ganho de espaço dá o prazer do fluxo de movimento, ou melhor, coloca o movimento de cada um em fluxo. E, na hora do palco, olhar bem atento, é a escuta do corpo e do espaço.

"Antena ligada!"

REFERÊNCIAS BIBLIOGRÁFICAS

Livros e artigos

AMARAL, Ana Clara. "Fuga! Jogo de percepções na fronteira entre a dança e o teatro". Dissertação [Mestrado em Artes] – Instituto de Artes da Universidade Estadual de Campinas-Unicamp, SP, 2009.

ANDREATTA, Isis. *O jogo e a criança em Klauss Vianna: um estudo pedagógico através da improvisação na dança.* Trabalho. [Conclusão de Curso Graduação em Dança] – Universidade Estadual de Campinas--Unicamp, SP, 2010.

ANTUNES, Arnaldo. *Palavra desordem.* São Paulo: Iluminuras, 2002.

AZEVEDO, Sônia M. *O papel do corpo no corpo do ator.* São Paulo: Perspectiva, 2002.

BARIL, Jacques. *La danza moderna.* Barcelona: Paidós, 1987.

BARROS, Camila Soares. Processo de criação coreográfica a partir do método Klauss Vianna. [Trabalho de Iniciação Científica do Curso de Graduação em Dança] – Universidade Estadual de Campinas-Unicamp, SP, 2006.

BARROS, Manoel de. *O livro das ignorãças.* Rio de Janeiro: Record, 2000.

BARROS, Maria de Fátima Estelita. "Canto como expressão de uma individualidade". Tese [Doutorado em Artes] – Instituto de Artes da Universidade Estadual de Campinas-Unicamp, SP, 2012.

BAUMAN, Zygmunt. *Modernidade líquida.* Rio de Janeiro: Zahar, 2001.

BERGE, Yvone. *Viver o seu corpo: por uma pedagogia do movimento.* 3. ed. São Paulo: Martins Fontes, 1986.

BITTAR, Valéria Fuser. "Músico e ato". Tese [Doutorado em Artes] – Instituto de Artes da Universidade Estadual de Campinas-Unicamp, SP, 2012.

BOLSANELLO, Débora (org.). *Em pleno corpo: educação somática, movimento e saúde*. Curitiba: Juruá, 2009.

BOURCIER, Paul. *História da dança no Ocidente*. São Paulo: Martins Fontes, 1987.

CALAZANS, Julieta; CASTILHO, Jacyan; GOMES, Simone (coords.). *Dança e educação em movimento*. São Paulo: Cortez, 2003.

CATTANI, Icleia. "Arte contemporânea: o lugar da pesquisa". In: BRITES, B.; TESSLER, E. (orgs.). *O meio como ponto zero: metodologia da pesquisa em artes plásticas*. Porto Alegre: EdUFRG, 2002.

DAMÁSIO, Cláudia. "A dança para crianças". In: PEREIRA, R.; SOTER, S. (orgs.). *Lições de dança 2*. Rio de Janeiro: UniverCidade, 2000.

DELEUZE, Gilles; GUATTARI, Felix. *Mil platôs — Capitalismo e esquizofrenia*. v. 1. Rio de Janeiro: 34, 1995.

_____. *O que é filosofia*. Rio de Janeiro: 34, 1992.

DUARTE JR, João Francisco. *O sentido dos sentidos — A educação (do) sensível*. 4. ed. Curitiba: Criar, 2006.

FERNANDES, Ciane. *Pina Bausch e o Wuppertal Dança-Teatro: repetição e transformação*. São Paulo: Hucitec, 2000.

FERRACINI, Renato. *Corpos em criação, café e queijo*. Tese (Doutorado em Artes) — Universidade Estadual de Campinas, Campinas (SP), 2004.

FORTIN, Sylvie. "Educação somática: novo ingrediente da formação prática em dança". *Cadernos do Gipe-CIT,* n. 2, Estudos do Corpo. Salvador, fev. 1999.

_____. Entrevista. Por: DANTAS, M.; WEBER, S. *Cena 03*. Universidade Federal do Rio Grande do Sul, Porto Alegre, n. 3, outubro, 2004.

FOUCAULT, Michel. *Vigiar e punir*. Petrópolis: Vozes, 1987.

FREIRE, Jóice. "Estudos para uma dança de si: escutas do corpo, imagem do ar". Trabalho de Conclusão [Curso de Graduação em Educação Física] — Universidade Estadual de Campinas-Unicamp, SP, 2008.

GAINZA, Violeta. *Conversaciones con Gerda Alexander: vida y pensamiento de la creadora de la eutonia.* Buenos Aires: Paidós, 1985. [Em português: *Conversas com Gerda Alexander — Vida e pensamento da criadora da eutonia.* São Paulo: Summus, 1997.]

GIL, José. *Movimento total — O corpo e a dança.* São Paulo: Iluminuras, 2004

GOMES, Simone. "A dança e a mobilidade contemporâneas". In: CALAZANS, J; CASTILHO, J; GOMES, S.(coords.). *Dança e educação em movimento.* São Paulo: Cortez, 2003.

GODARD, Hubert. "Gesto e percepção". In: SOTER, S. (org.) *Lições de dança 3.* Rio de Janeiro: UniverCidade, 2002.

GREINER, Christine. *O corpo. Pistas para estudos indisciplinares.* São Paulo: Annablume, 2005.

HANNA, Thomas. *The body of life.* Nova York: Knopf, 1983.

_____. *Corpos em revolta: a evolução-revolução do homem do século XX em direção à cultura somática do século XXI.* Rio de Janeiro: Mundo Musical, 1972.

IZQUIERDO, Iván. *A arte de esquecer.* Rio de Janeiro: Vieira e Lent, 2004.

JUNG, C. G. *O Espírito na arte e na ciência.* Petrópolis: Vozes, 1991.

KATZ, Helena. "O corpo procura seu lugar nas artes". *O Estado de S. Paulo*, p. D5, 25 jul. 2007.

KELEMAN, Stanley. *Anatomia emocional.* São Paulo: Summus, 1992.

LISPECTOR, Clarice. *Água-viva.* Rio de Janeiro: Artenova, 1973.

LOUPPE, Laurence. "Corpos híbridos". In: SOTER, S. (org.). *Lições de dança 2.* Rio de Janeiro: UniverCidade, 2000.

MARQUES, Isabel A. *Dançando na escola.* 4. ed. São Paulo: Cortez, 2007.

_____. *Ensino de dança hoje: textos e contextos.* São Paulo: Cortez, 1999.

MASSOTI, Cátia. "O ator como coreógrafo da cena: princípios da Técnica Klauss Vianna na criação teatral". Dissertação [Mestrado em Artes (em andamento)] – Instituto de Artes da Universidade Estadual de Campinas-Unicamp, SP, 2012.

MATURANA, Humberto; VERDEN-ZÖLLER, Gerda. *Amar e brincar: fundamentos esquecidos do humano do patriarcado à democracia*. São Paulo: Palas Athena, 2004.

MILLER, Jussara. *A escuta do corpo: sistematização da Técnica Klauss Vianna*. São Paulo: Summus, 2007.

NAVAS, Cássia; DIAS, Linneu. *Dança moderna*. São Paulo: Secretaria Municipal de Cultura, 1992.

NEVES, Neide. *A técnica como dispositivo de controle do corpomídia*. Tese (Doutorado em Comunicação e Semiótica) — Pontifícia Universidade Católica de São Paulo, São Paulo (SP), 2010.

_____. *Klauss Vianna: estudos para uma dramaturgia corporal*. São Paulo: Cortez, 2008.

_____. "A técnica Klauss Vianna vista como sistema". In: CALAZANS, J; CASTILHO, J; GOMES, S. (coords.). *Dança e educação em movimento*. São Paulo: Cortez, 2003.

OLIVEIRA, Eliana Kefalás. "Corpo a corpo com o texto literário". Tese [Doutorado em Teoria e História Literária] – Instituto de Estudos da Linguagem, Universidade Estadual de Campinas-Unicamp, SP, 2009.

OLIVEIRA, Kamilla Mesquita. "Mulheres de Pedra: estudo das sensações de movimento presentes na obra da escultora francesa Camille Claudel". Dissertação [Mestrado em Artes] – Instituto de Artes da Universidade Estadual de Campinas-Unicamp, SP, 2010.

OSTROWER, Fayga. *Criatividade e processos de criação*. 24. ed. Petrópolis: Vozes, 2009.

PAREYSON, Luigi. *Verdade e interpretação*. São Paulo: Martins Fontes, 2005.

_____. *Os problemas da estética*. 3, ed. São Paulo: Martins Fontes, 1997.

_____. *Estética: teoria da formatividade*. Petrópolis: Vozes, 1993.

PINTO, Pollyanna Regina. "A experiência dos trabalhadores com a dor crônica". Dissertação [Mestrado em Saúde Coletiva] – Departamento de Medicina Preventiva e Social da Faculdade de Ciências Médicas da Universidade Estadual de Campinas-Unicamp, SP, 2012.

_____. "Educação popular e saúde do trabalhador: a experiência da aplicação da Técnica Klauss Vianna em grupos de coluna". Monografia de Conclusão de Curso de Especialização – Departamento de Enfermagem – Faculdade de Ciências Médicas da Universidade Estadual de Campinas-Unicamp, SP, 2008.

RAZERA, Isabela Claudio. "Conhecendo o corpo por meio da Técnica Klauss Vianna". Trabalho de Iniciação Científica, Curso de Graduação em Dança da Universidade Estadual de Campinas-Unicamp, 2009.

_____. "Técnica Klauss Vianna e o processo criativo". Trabalho de iniciação científica. Curso de graduação em dança da Universidade Estadual de Campinas - Unicamp, 2010.

REY, Sandra. "Por uma abordagem metodológica da pesquisa em artes visuais". In: BRITES, B.; TESSLER, E. (orgs.). *O meio como ponto zero: metodologia da pesquisa em artes plásticas.* Porto Alegre: EdUFRG, 2002.

ROSENBERG, Bobby. "The Alexander technique and somatic education". *Somatics*, v. XV, n. 4, 2008.

SALLES, Cecília. *Gesto inacabado: processo de criação artística.* 4. ed. São Paulo: Fapesp/Annablume, 2009.

SCHIEL, Juliana. "No entremear do tecido. Duas trajetórias de criação". Tese [Pós-Doutorado] – LUME – Núcleo Interdisciplinar de Pesquisas Teatrais da Unicamp-Fapesp, 2010.

SILVA, Eusébio Lobo da. *Método de ensino integral da dança — Um estudo do desenvolvimento dos exercícios técnicos centrado no aluno.* Tese (Doutorado em Artes) — Universidade Estadual de Campinas, Campinas (SP), 1992.

STRAZZACAPPA, Márcia. "Sobre todas e nenhuma: reflexões acerca das técnicas corporais nos cursos de formação em artes cênicas". *Cena 03*, Porto Alegre, Universidade Federal do Rio Grande do Sul, ano 3, out. 2004.

_____. "A educação e a fábrica de corpos: a dança na escola". *Caderno Cedes n. 53*, Dança-Educação. Unicamp, abr. 2001.

_____. "As técnicas de educação somática: de equívocos a reflexões". In: BOLSANELLO, D. (org.). *Em pleno corpo: educação somática, movimento e saúde*. Curitiba: Juruá, 2009.

STRAZZACAPPA, Márcia; MORANDI, Carla. *Entre a arte e a docência: a formação do artista da dança*. Campinas: Papirus, 2006.

SUQUET, Annie. "O corpo dançante: um laboratório da percepção". In: COURTINE, J.; CORBIN, A.; VIGARELLO, G. (orgs.). *História do corpo: as mutações do olhar — O século XX*. Petrópolis: Vozes, 2008.

VIANNA, Angel. *Entrevista a Jussara Miller*. Rio de janeiro (RJ), 12 dez. 2009.

VIANNA, Klauss. *A dança*. São Paulo: Summus, 2005.

Videografia

MILLER, Jussara. *Ciclo Klauss Vianna*. Campinas, SP, 2002.

NAVAS, Cássia; CASALI, E. *Memória presente: Klauss Vianna*. São Paulo: TV Anhembi/Secretaria Municipal de Cultura, 1992.

OLIVEIRA, Kamilla, RAZERA, Isabela. "Klauss Vianna construtor de corpos". Fundação de Amparo ao Ensino e Pesquisa – FAEP, 2009.

CRÉDITOS DAS IMAGENS

Foto da capa: Juliana Schiel

Foto da orelha (autora): Christian Laszlo

Desenhos
Acrílico sobre papel. Artista plástico: Warner Reis Jr.

Página 6
Aula de Jussara Miller, 2007 – Salão do Movimento, Campinas (SP)
Foto: Juliana Schiel

Página 8
Aula de Jussara Miller, 2009 — Salão do Movimento, Campinas (SP)
Foto: Christian Laszlo

Página 10
Espetáculo Clariarce, 2010 – Teatro de Dança, São Paulo (SP)
Foto: Christian Laszlo

Página 14
Aula de Jussara Miller, 2007 — Salão do Movimento, Campinas (SP)
Foto: Juliana Schiel

Página 23
Vivência em espaço aberto, 2003 — Campinas (SP)
Foto: Christian Laszlo

Páginas 42 e 45
Aula de Jussara Miller, 2007 — Salão do Movimento, Campinas (SP)
Fotos: Juliana Schiel

Página 47
Aula de Jussara Miller, 2003 — Salão do Movimento, Campinas (SP)
Foto: Christian Laszlo

Páginas 50 a 54
Aula de Jussara Miller, 2007 — Salão do Movimento, Campinas (SP)
Fotos: Juliana Schiel

Páginas 58 a 79
Aula de Jussara Miller, 2009 — Graduação em Dança da Unicamp, turma de 2009
Fotos: Christian Laszlo

Página 80
Apresentação do grupo infantil do Salão do Movimento, 2008 — Auditório da Unicamp
Foto: Juliana Schiel

Página 82
1.ª foto: aula de Jussara Miller, 2003 — Salão do Movimento, Campinas (SP)
2.ª foto: aula de Jussara Miller, 2009 — Salão do Movimento, Campinas (SP)
Fotos: Christian Laszlo

Página 83
1.ª foto: aula de Jussara Miller, 2008 — Salão do Movimento, Campinas (SP)
Foto: Christian Laszlo
2.ª foto: apresentação do grupo infantil, 2008 — Auditório da Unicamp
Foto: Juliana Schiel

Página 86
Aula de Jussara Miller, 2009 — Salão do Movimento, Campinas (SP)
Foto: Christian Laszlo

Página 87
1.ª foto: aula de Jussara Miller, 2009 — Salão do Movimento, Campinas (SP)
Foto: Isis Andreatta
2.ª, 3.ª e 4.ª fotos: apresentação do grupo infantil, 2009 — Auditório da Unicamp
Fotos: Juliana Schiel

Página 90
Aula de Jussara Miller, 2009 — Salão do Movimento, Campinas (SP)
Fotos: Christian Laszlo

Páginas 91 a 94
Apresentação do grupo infantil do Salão do Movimento, 2009 — Auditório da Unicamp
Fotos: Juliana Schiel

Página 95
1.ª foto: apresentação do grupo infantil, 2009 — Auditório da Unicamp
Foto: Juliana Schiel
2.ª e 3.ª fotos: Aula de Jussara Miller, 2009 — Salão do Movimento, Campinas (SP)
Fotos: Christian Laszlo

Página 98
Aula de Jussara Miller, 2004 — Salão do Movimento, Campinas (SP)
Foto: Cristina Gonçalves

Página 99
Apresentação do grupo infantil do Salão do Movimento, 2007 — Auditório da Unicamp
Fotos: Juliana Schiel

Página 101
1.ª foto: aquecimento para apresentação do grupo infantil, 2007 — Auditório da Unicamp.
Foto: Juliana Schiel
2.ª, 3.ª e 4.ª fotos: aula de Jussara Miller, 2009 — Salão do Movimento, Campinas (SP)
Fotos: Christian Laszlo

Página 103
1.ª e 3.ª fotos: aula de Jussara Miller — Salão do Movimento, Campinas (SP)
Fotos: Christian Laszlo
2.ª foto: apresentação do grupo infantil, 2008 — Auditório da Unicamp
Foto: Juliana Schiel
4.ª foto: aula de Jussara Miller, 2010 — Salão do Movimento, Campinas (SP)
Foto: Antonio Scarpinetti

Páginas 106 a 108
Aquecimento para apresentação do grupo infantil, 2007 — Auditório da Unicamp
Fotos: Juliana Schiel

Página 109
1.ª foto: aula de Jussara Miller, 2009 — Salão do Movimento, Campinas (SP)
Foto: Christian Laszlo

2.ª foto: apresentação do grupo infantil, 2007, Auditório da Unicamp
Foto: Juliana Schiel

Página 110
Apresentação do grupo infantil, 2007 — Auditório da Unicamp
Fotos: Juliana Schiel

Página 111
Aula de Jussara Miller, 2004 — Salão do Movimento, Campinas (SP)
Foto: Christian Laszlo

Página 112
Apresentação do grupo infantil, 2009 — Auditório da Unicamp
Foto: Juliana Schiel

Página 113
Aula de Jussara Miller, 2004-Salão do Movimento, Campinas (SP).
Foto: Cristina Gonçalves

Página 114
Aula de Jussara Miller, 2004 — Salão do Movimento, Campinas (SP)
Foto: Cristina Gonçalves

Página 115
Apresentação do grupo infantil, 2007 — Auditório da Unicamp
Foto: Juliana Schiel

Página 116
Ensaio com Jussara Miller, 2010 — Salão do Movimento, Campinas (SP)
Foto: Christian Laszlo

Página 146
Espetáculo *Clariarce*, 2010 – Teatro Cacilda Becker, Rio de Janeiro (RJ)
Foto: Christian Laszlo

Página 150
Ensaio com Jussara Miller, 2010 — Salão do Movimento, Campinas (SP)
Foto: Christian Laszlo

Página 174
Ensaio com Jussara Miller, 2010 — Salão do Movimento, Campinas (SP)
Foto: Christian Laszlo

AGRADECIMENTOS

À família Vianna:

- A Klauss, por me lançar no território das infinitas perguntas ao corpo.
- A Rainer, por me encorajar na incessante busca de respostas.
- A Angel, por me esclarecer que "há perguntas que não têm respostas".

A Neide Neves, pela leitura generosa do trabalho.

A Christian Laszlo, pela feitura poética das fotos e pelo amor que nos move a cada dia.

Ao artista plástico Warner Reis Jr, o Bukke, pelos desenhos que dançam.

A Juliana Schiel, pelas fotos, com o seu olhar que vê de dentro.

A Norberto Presta, por sua direção ao clarear o *Clariarce*.

A Erich Nogueira e Eliana Kefalás, a Lica, pela revisão cuidadosa do texto, cada um com seu modo de dar fluxo às minhas ideias.

A Ivana Cubas, por sua ação criativa neste trabalho.

Às estagiárias Gabriela, Isabela, Isis e Jóice, por me fazerem ver e reconhecer minha ação didática com as crianças.

A todos os alunos fotografados em aulas na Unicamp (turma de 2009) e no Salão do Movimento.

Às queridas crianças do Salão do Movimento, que, com a sua disponibilidade corporal, me permitem entender a dança desde o princípio.

A todos os meus alunos do Salão do Movimento, pelo incentivo constante à pesquisa.